この20人でわかる
世界史のキホン

山本直人
Naoto Yamamoto

PHP

まえがき

「人物の説明を読んでも、ぜんぜんわかりません」。生徒が助けを求めてきます。参考書の文章が理解できないのか、はたまた文章は読めるけど頭に入ってこないのか。ぼくが受け持っているのは大学受験生で、小・中・高と国語を学んできたのだから、文章が読めないワケではなさそうです。ということは、何かが問題になって内容をうまく落とし込むことができないのでしょう。

　この“何か”を埋めるために、本書は生まれました。

　世界史の偉人って、時代も違えば場所も違う、異なるものが２つもかけ合わさったいわば“異質ハイブリッド”の人々。“いつ”と“どこ”がイメージできないから、人物の解説文に書いてあることはわかるんだけど、なんだか納得のいかない上の空な感じになってしまいます。ブッダについて話すときには、前500年前後のインドの状況を知っておかないと彼の活動は理解できないし、ナポレオンを語るときには、フランス革命の流れ、そして彼がどんな影響を後世に及ぼしたかを把握しておく必要があります。

　本書では世界史のタテ（時間軸）とヨコ（空間軸）を丁寧に紐解いて、偉人たちに迫ってみました。タテとヨコの土台をつくっておくと、彼らの生涯がびっくりするほど理解できますよ。

　本書では４つの時期、古代、中世、近世、近現代に分けて代表的な人物を解説しています。一人ひとりが独立しているので、誰から読んでも大丈夫です。

　本文は先生（鳩先生）と生徒（羊くん／イルカさん）の対話形式にしました。疑問が生じたときには、みなさんを代弁して「それってどういうことですか？」と聞いてもらうためです。軽妙にかけあいながらも、真面目に話を進める彼らの会話を通じて偉人の一生を楽しく学んでいただけれ

ば、著者 冥 利に尽きます。鳩先生も喜んでくれるに違いありません。

　生徒役の羊くんとイルカさんは、ぼくの教え子をモデルにしています。特定の誰かというワケではなくて、何人かの生徒をミックスさせた架空の人物です。本書は生徒とともにつくったといえるでしょう。いつも真面目に、真摯に、熱意をもって授業を受けてくれる教え子たちに感謝します。ときにはしょうもないダジャレにつきあってくれて、本当にありがとう。ぼくは生徒に恵まれています。彼らが本書を手に取って、くすっと笑いながら世界史の偉人に思いをはせてくれたなら、これ以上ない喜びです。

　また編集の木南さん、ぼくの遅筆に忍耐強く並走していただきました。いつも優しい笑みをうかべながら、なかなか筆が進まない著者を「大丈夫ですよ」と励ましていただきありがとうございます。最後に、「忙しい、忙しい！」と言いながら家事をほっぽりだして執筆をつづけたぼくを、温かく見守ってくれた妻に感謝します。

　奥深い偉人たちの物語に、いざ出航しましょう！

山本直人／世界史の鳩

この20人でわかる 世界史のキホン

contents

第1章　古代

ハンムラビ王 ——————————————— 13
メソポタミアを統一し、ハンムラビ法典をつくった！

アレクサンドロス ——————————————— 25
東方遠征を進め、ギリシア世界を拡大！

ガウタマ=シッダールタ ——————————— 34
悟りを開いた仏教の創始者！

第2章　中世

第3章　近世

第4章　近現代

本書の使い方

① 時代を確認しよう

② 場所を確認しよう

③ ３つの道しるべをおさえよう

④ 原理や背景を把握しよう

① 時代を確認しよう

　各時代のはじめのページに大まかな年表を載せています。いつ頃の人物なの
か、その時代には世界でどんなことが起こっていたのかがわかれば、話がわか
りやすくなりますよ。

② 場所を確認しよう

　その人物がどこで活躍したのかを地図で確認し、人物が活躍した場所をイメ
ージしましょう。

③ ３つの道しるべをおさえよう

　各テーマのはじめには、３つの「道しるべ」が示されています。これがわか
れば世界史通になれるチェックポイントです。答え合わせをしながら読みまし
ょう。

④ 原理や背景を把握しよう

　世界史の原理を説明し、人物にいたるまでの歴史背景を解説しています。

第 1 章

古代

古代の年表

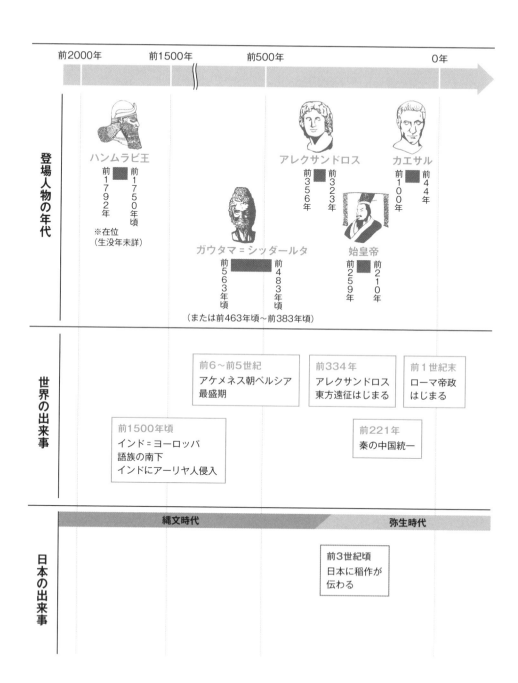

登場人物の年代

前2000年　前1500年　前500年　0年

ハンムラビ王
前1792年〜前1750年頃
※在位（生没年未詳）

ガウタマ＝シッダールタ
前563年頃〜前483年頃
（または前463年頃〜前383年頃）

アレクサンドロス
前356年〜前323年

始皇帝
前259年〜前210年

カエサル
前100年〜前44年

世界の出来事

前6〜前5世紀
アケメネス朝ペルシア
最盛期

前334年
アレクサンドロス
東方遠征はじまる

前1世紀末
ローマ帝政
はじまる

前1500年頃
インド＝ヨーロッパ
語族の南下
インドにアーリヤ人侵入

前221年
秦の中国統一

日本の出来事

縄文時代　　弥生時代

前3世紀頃
日本に稲作が
伝わる

ハンムラビ王

メソポタミアを統一し、ハンムラビ法典をつくった!

道しるべ

- 農耕と文明の関係を押さえよう
- 国家の体制維持に必要なものとは何か
- ハンムラビ法典の意義を知ろう

「今日はハンムラビ王のお話です。聞き手は羊くんです」

「鳩先生、よろしくお願いします。

　ハンムラビ王は知っていますよ。"目には目を、歯には歯を"って言った人ですよね」

「ま、まあ彼が言ったかどうかは別として、ハンムラビ法典を制定した人物として有名ですよね。今回はハンムラビ王の話をもっと根源的なところから掘りさげていきましょう」

1 農耕のはじまりと文明

「羊くん、我々人類が農耕をはじめたのは、いつ頃か知っていますか?」

「そんな昔から話すんですか⁉」

「そうです! "農耕"がはじまり"文字"を発明してからが歴史時代。世界史の原理原則を理解しながら人物を分解しましょう」

「ううーん、農耕のはじまりがいつなのかと聞かれたらよくわからないですね。先史時代の授業って、人類の化石の名前がいっぱい出てきてこんがらがるんですよ」

「そこを体系化するのが世界史っていう科目なんです!

　ちなみに現代に生き残っている人類はホモ゠サピエンスのみ。ネアンデルタール人やら、そのほかの人類を、ホモ゠サピエンスはすべて滅ぼしてしまいました。駆逐ってやつ」

「そりゃひどいですね」

「共存できなかったんですね。

　それで、ヒトは長いあいだずっと狩猟と採集で生計をたてました。獲得経済っていいます。動物を狩り、植物を採って生きていたのです。

　この頃のヒトの集団はそれほど大きくなる必要はなく、せいぜい数十人程度の原始的な社会を形成していました」

「狩りも調理も、衣服や家をつくるのも、つきつめればぜんぶ自分でできちゃいますよね。獲得経済の時期には、そんなに大きな集団にはならなかったってことですね」

「そう、そう！

　そう……なんだけど、今から約１万年、正確には１万1700年くらい前に地球の気温がめちゃくちゃ上がったんですよね。植物の生長が促されました。そこでヒトは、“これだけたくさん生えてくるのならば、植物の育成を制御できるのでは？”って考えたんですね。ここから農耕がはじまります」

「農耕をはじめるようになったんですね」

「これを生産経済といいます。

　初期の農耕は雨水を用いたんだけど、今から7000年ほど前には人工的に農業用水を農地に引く、いわゆる“かんがい農業”がはじまりました」

「漢字で書けない、あの“灌漑”……」

「まあ、この農業ってのが曲者で、ここにいたってホモ＝サピエンスには高度な共同作業が求められたのです。

　羊くん、狩猟・採集の時期はすべての作業を一人で行うことができましたね。しかし、農業ではそう簡単にはいかないんです。ある者は農地を耕し、ある者は用水路をつくる。ある者は山一つ越えた集落に生産物を持っていって黒曜石に交換し、ある者は攻めてきた周辺部族と戦う必要があ

る。ここに、分業の概念が生まれました」

「なんだか複雑になってきたぞ……」

「共同作業と分業についてもう少し深く見ていきましょう。

　人口が増えると食料の不足分を補うため、周辺集落との抗争が起こりました。用水路や農地は、整備を怠ると生産量が減ってしまいますよね。というわけで、つよーい兵士や専門技術を持つ者が求められたんです。

　生産物、これを"富"というのだけれど、誰かが富を集めて管理し、平等に分けなければ、社会が立ちゆかなくなってしまいました。技術者や戦士を雇うには結構な持ち出しが必要です。大衆から富を徴収し、"これは軍事費、これは土木費、これは公務員の人件費……"という具合に、きちんと分配することが必要不可欠になったんです」

「ふむふむ、なるほど。誰か指示役がいて、そいつが仕事を振り分けないといけないんですね。大衆から生産物を集めて分ける……」

「その機能をここでは"政治"といいましょう。とても大切なファンクションです。羊くん、この政治の原理についてはこれからも幾度となく出てくるので、しっかり覚えておいてくださいね」

「先生、これってつまり身分ってやつですよね」

「そうです！　農耕社会は、生産する者とそれを管理する者に分かれ、身分階級、すなわちヒエラルキーが誕生しました。

　ヒエラルキーはリーダーを中心に、ピラミッド構造を形成します。一般大衆から富を集約・分配する者たちを支配者としましょう。古代の社会ではその多くが神官で、彼らは戦士の武力を背景に大衆が生産した富をかき集めて振り分けました。

　図にするとちょうどこんな感じです（次ページ、図1-1）。

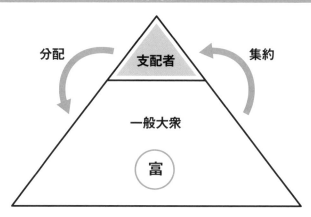

図1-1　階級ヒエラルキーと富の集約・分配

分配

集約

支配者

一般大衆

富

　農耕のはじまりと身分階層の関連については今でも細かい議論があるのだけど、"富の集約と分配"は歴史を学ぶうえで大切な原理です。このセオリーを頭の片隅に置きながら、ハンムラビ王とその業績を解き明かしましょう！」

2 国家体制の維持とシュメール人

「羊くん、ヒエラルキーのなかでどれになりたいですか？」

「そりゃもちろん国王です、贅沢できそーっ！」

「国王‼　国王は結構大変ですよ。いろいろ行動が制限されちゃうし。

　やっぱり支配者ですよ、支配者。ヒエラルキーをつくるホモ゠サピエンス、支配者たちは社会体制を維持するためにいろいろな"しかけ"を考案しました。

　例えば国王です。ヒエラルキーの頂点に位置するこの人物はもちろんヒト科に属するのだけど、同じ種族であるヒトから富を集約、つまり徴税するわけですから、一般大衆からすると、その税の徴収にどんな正当性があるのか、不可解でとても腹が立ちますよね」

「確かに、同じ人間なのになんで一方は税を取る側で、もう一方は税を取

られる側なんだ。おかしいですね。人間は平等じゃないのか！」

「うおー、ルソーっぽい。

　そこで、とりあえず君主を神、または神の代理人ということにして、王は権威を帯びました。神権政治といいます。神が支配する国ですから、神の意にそぐわない行為をおかせばなんだか罰が当たりそうでおっかないですよね。神のオーラを用いて人々の行動を強制し、体制の維持をはかったのです。

　同様に、この機能を利用したのが"神話"であり、"大きなもの"でした。神話はパンフレットみたいなもの。長い長い神々の時代があって、初代の王がそれを継承し、それで今みなさんを道理として支配しているんですよ。こんな具合に、神話によって支配の正当性を保証しました。"歴史"も同様に、国の営みがいかに正当であるのかを証明するものにほかなりません。

　また"大きなもの"とは、そのまま巨大な建築物です。神がとてつもなく大きなものをつくることなんて朝飯前、民衆は大規模な建造物を見上げて畏怖の念を抱き、おとなしく国による支配を受けることになるのです」

「"国王"や"歴史"を、国家のしくみと考えるんですね。そういう視点で見るとなんだか新鮮だな。ほかにも何かカラクリはあるんですか？」

「さまざまな機能が発明されました。"こよみ"は農耕のために季節のカレンダーとして不可欠なものでしたが、スケジュールで人々の行動を管理することも目的とします。このため、古代社会では天文学が発展しました。"数の進法"や"測地術"も理屈は同じです。

　古代社会における最大の発明は"文字"でした。文字の役割は、税として集めた農産物を記録するためですが、その本質は組織の運営にあります。ピラミッドの社会構造では、王からの命令系統を一本化しなければなりません。指示が各階層の各部署でバラバラなら、効率的な組織のマネジメントが妨げられてしまいますよね。そこで、情報に間違いが生じにくい文字を介して命令を伝えました。円滑なコミュニケーションが政治機能を

補完してくれるのです。

　これらの機能をいち早く導入して都市文明を築いたのが、シュメール人でした」

 3 メソポタミアの状況とバビロン第一王朝

「へぇー、ではハンムラビ王はシュメール人なんですね」

「いや、すみません。シュメール人ではないのです。前座のお話、もう少しだけおつきあいください。

　シュメール人は前3500年頃、ティグリス川とユーフラテス川に挟まれたメソポタミアの南部地帯のウルやウルクに都市文明をおこしました。地図（図1-2）で位置を確認してみましょう。このあたりです。

図1-2　古代メソポタミアの場所とシュメール人の都市

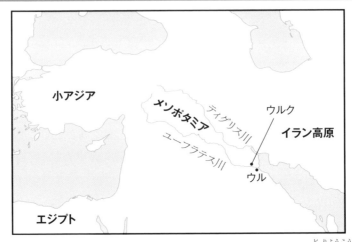

　シュメール人は太陰太陽暦を用い、六十進法にもとづく度量衡（どりょうこう）を定め、車輪を発明します。巨大な神殿を建てて神話をつくり、その文明を後世に伝えました。彼らが用いた楔形文字（くさびがた）は、長らくメソポタミア世界での標準文字となりました。シュメール人はさっき紹介したさまざまなしくみをもれなく投入して、組織の運営を行います」

「いろいろ考えているんだなぁ。こういうカラクリは、以降の王朝でも断然使えそうですね」

「ここだけの話、シュメール人が築いた機能はほかの諸文明にほとんどコピー＆ペーストであてはめることができました。地形や気候、時代によって装置の名称が違うだけです。これからお話しするハンムラビ王とその統治も例外ではありません。このため、彼の治世を紹介する土台として、脈々と連なる歴史のセオリーをまずお話ししました」

「すごい、すごいぞシュメール人。いったい何者なんですか？」

「それが、じつは民族系統がよくわかっていません。どこから来たのかわからない、謎に満ちた人々です」

「古代のロマンですね」

「ぜひもっと詳しく学んでみてくださいね。

メソポタミアではシュメール人のほか、いろんな民族が侵入して王朝が興亡しますが、おおむね前3000年から1000年間ほどはシュメール人の勢力が優勢の時代でした。前2000年頃からはセム語系に属する人々が台頭します。アムル人などの勢力がそこかしこで興隆し、互いに抗争しました。

アムル人のバビロン第一王朝こそ、ハンムラビの王国です」

 4 ハンムラビ王の生涯

「ついにハンムラビ王の登場ですね。アムル人の前に……セム語系ってなんですか？」

「使っている言葉で分類するのを、語系といいます。今ではアラブ人などがセム語系に属するといわれているんですよ。アムル人はバビロンを拠点に活動しました。

アムル人はバビロン第一王朝の時代に勢力を拡大します。前1800年頃に、周辺の列強都市と肩を並べました。

前1792年、6代目の王に即位したハンムラビはさっそく征服活動にとり

かかります。とはいえ、とてつもなく昔の話なので史料がそれほど多く残っているわけではありません。当時の書記官の手紙とか、周辺諸国の遺跡や碑文などから、王国の状況を判断しているのです。

　それによると、ハンムラビは周辺諸国と同盟を結びながら徐々に頭角をあらわし、メソポタミア南部の王朝を次々と打ち破りました。彼がどのあたりを征服したのか、地図（図1-3）で確認してみてください」

図1-3　ハンムラビ王の征服

「教科書に載っている地図って、情報が書き込まれすぎていてよくわからないんですよね。おおまかにイメージできればいいのかなぁ」
「はい、そうです。

　アムル人の拡大範囲をざっくりとつかんでおきましょう。

　バビロン第一王朝は前1759年に北部のアッシリアを征服すると、ついにメソポタミアを統一しました。弱小国家であったバビロンが全メソポタミアを手中に収めたのです。

　メソポタミアの広大な地域を支配、というと政治の原理は富の集約と分配ですから、バビロン以外のアムル人居住地区、また他民族から税を徴収しなければなりません。また多くの民族を抱えた王朝国家では、社会活動や商業の発達はさまざまな軋轢を生むでしょう。統一王朝っていうのは、

統一前よりも多くの問題に立ちむかう必要がありました」

「国が大きくなると、新たな問題が生じるんだ」

「しくみを変えないと追いつかなくなるんですね。

　ハンムラビは官僚制を整えました。官僚とは徴税官のこと。各地域に一元的な富の集約を実施するため、文字の読み書きに長けたエリートを派遣します。税の徴収と分配に地域で差が出てしまうと、不満を感じる民衆の反乱は目に見えていますよね。それを未然に防ぐことが、君主に課せられた使命でした」

「官僚っていうと、現在の日本にも官僚がいますよね。システムの本質的なところは同じなんですか？」

「いい質問……！　その通りで、官僚の仕事はぼくらからきちんと徴税し、それを法に従って分配することなんです。この原則は今もぜんぜん変わってないですよね。

　メソポタミアは農耕生産を基盤とする地域ですから、ハンムラビは灌漑施設の整備・運用を進めました。豊かな農耕生産は民衆生活を安定させ、がっつり税収を期待できるからです。これも世界史のセオリーに則った政策ですね」

「そういうハンムラビの行政って記録されているんですね。彼の生涯や人となりはどのようにしてわかるんですか？」

「ハンムラビの生涯は各地の知事や官僚に送った手紙から思い起こすことができます」

「そんなのが残っているんですね」

「なんだかんだで文字ってかなり長い間残るんですよね。羊くん、ぼくらもゆめゆめ変なものが残らないように、気をつけましょう。

　彼は商人たちのいさかいを仲介し、官僚の不正を正すなど、詳細な指示・指令を出しました。メソポタミアの伝統では、社会正義の維持と社会的弱者の保護は、為政者に欠かせない資質だと考えられていました。きめ細やかな王の執政からは、社会の安定に腐心するさまが見てとれます。

その体現がハンムラビ法典でした」

「ハンムラビ法典は1901年に、イラン西部で発見された碑文です。高さは約2メートル、結構大きいんです。玄武岩でできていて、頂上部には正義を司る太陽神と、権力を象徴する棒と縄を授けられたハンムラビが浮き彫りにされています。これは神権政治の典型例ですね。

　法文は楔形文字で書かれています。前文には、神々から信任を授かったハンムラビが社会的正義を実現するうんぬんが記されていて、後に法令が並べられました。

　内容は大きく分けて刑法と民法に分かれているのですが、例の"目には目を、歯には歯を"は刑法に属します。羊くん、刑法ってなんで必要なのでしょうか」

「悪いことをした人をこらしめるため？」

「では、悪いことってなんですか」

「うーん、悪いことっていうのはつまり……人に暴力をふるうとか……、いや、社会体制の維持に都合が悪いことって意味ですか」

「そう、まさにその通りです。ぼくらが考える悪いことは道徳的観点で見ることが多いのですが、世界史では国家体制の維持という視点からアプローチしましょう。

　体制維持のためには秩序が守られなければならない。安全を脅かす者が古今東西どこにでもいますから、そういうならず者を裁くための刑罰が必要でした。私刑、リンチは否定されます。個人による血の報復を認めてしまえば、社会が混乱状態になるのは目に見えてますよね。だから国家が加害者に制裁を科すしくみがつくられました。統一国家が他民族を抱え込むと、刑法の重要度がことさら増したワケです」

「なるほど、教科書を読んで、なんでこんな制度や法律があるんだろ……

って思ったときには、国家体制の維持！って説明すれば大きく外れないん
ですね」

「いいところに気がつきましたね。そこを押さえておくと、いろんなこと
がスッと理解できますよ。

　着目すべきは民法です。経済関連のルールといってもいいでしょう。バ
ビロン第一王朝が統一する以前、メソポタミアは多くの勢力に分裂してい
ましたね。この時期には国家による生産統制が弱まっていましたから、逆
に私的な経済活動が盛んに行われました。モノの取引きは個人の手によっ
て進められるようになります。さらにメソポタミアにはさまざまな民族が
到来したから社会が多様化しました。土地の所有や商取引の共通ルールが
求められたのです」

「そりゃそうですよね、各地の地域性や風習を言いだしたら絶対に揉め
ますよね。"木材1本につきジャガイモは10キロだろ！　うちではそう
だ！"ってな感じで」

「当時のユーラシア大陸にはまだジャガイモは存在しないんだけど……、
まあそんなとこです。

　ハンムラビ王は民法の在り方を一元化しました。都市や地域ごとの商取
引のルールを統一し、例えばどのくらいの麦がどのくらいの黒曜石と交換
できるかなどを厳格に取り決め、高所得者をいかに監督し、低所得者をい
かに保護して、どのように富を再配分するかを明文化します。条項の多く
を占める民法は、王の方針を明らかにするものでした」

「法律を明確に定めて、国家の統治をスムーズにしたんだ」

「メソポタミアに起こった古代文明、それはハンムラビ王の時期に大成し
たといっても過言ではありません。すべては国家体制の維持を念頭に置い
て、慎重かつ大胆に行われました。為政者がどのように富を集約し分配す
るか、そのバランスを整えることは極めてデリケートで困難が生じる作業

です。現代社会においても同じことがいえますね。遺された史料だけでも、ハンムラビ王がどれほど有能で偉大であったかがよくわかります。

　王の没後、シュメール諸都市の離反や、北方から到来したインド＝ヨーロッパ語族の侵入で国力が衰退しました。鉄を用いたことで有名なヒッタイト人がバビロンを占領し、王国は滅亡します。その後メソポタミアは再び混乱時代に陥ってしまいました」

「ハンムラビ王って、歴史を学ぶうえでのセオリーがちりばめられていますね」

「その通りなんです。

　後のメソポタミアが分裂状態になろうとも、バビロン第一王朝で施行された数々の法律・慣習が各地で流用されました。歴史上の偉人たちは、それが成功したかどうかはさておいて、みな国家体制をいかに維持するかに腐心し、悩み苦しみながら勇敢に実行するのです」

「"目には目を、歯には歯を"。このコトバに、ハンムラビのすべてが込められているような気がしてきました」

アレクサンドロス

東方遠征を進め、ギリシア世界を拡大！

道しるべ

- ギリシア世界の混乱を知ろう
- マケドニアがどのように台頭したのか理解しよう
- アレクサンドロスの東征はどこまで及んだのだろうか

「今回はアレクサンドロス。聞き手はイルカさんです」

「よろしくお願いします。アレクサンドロス、もちろん知っています。とにかく有名人ですよね」

「とはいえ、イルカさん。世界史を習ったことのない人がアレクサンドロスと聞いて、いったい何を思い浮かべるでしょうか」

「私は世界史を学んでいるのでアレクサンドロスのことはある程度知っているけど、そうだなぁ、名前を聞いたことはあるなぁくらいの人だったら、アレクサンドロスの、"いつ"と"どこ"がわからないと思うんですよね」

「そうです！　彼がいつの時代のどこの人なのかよくわからないから、全体が見えてこないんですね。

　今回はアレクサンドロスをタテとヨコから見ていきましょう」

図1-4　アレクサンドロスの東征

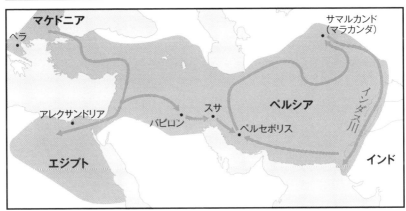

「イルカさん、アレクサンドロスはどこの人ですか？」

「マケドニアの国王です。マケドニアっていうとバルカン半島の国で……今のギリシア北部から北マケドニアのあたりを支配していたんですよね」

「いいですね、マケドニアの君主です。では時期はいつ頃？」

「アレクサンドロスが東方遠征に出立したのは前334年だから、今から2300年以上前の人物です。最近ここの問題を解いたばかりなのでよく覚えています。前4世紀っていうとかなり昔ですよね」

「世界史は問題演習がすべて！　とにかく復習の科目です、演習をどんどん進めてくださいね。アレクサンドロスが活躍した時期は日本では縄文時代の末期だから、そんな頃にはもう活動していたんです。

　さっきイルカさんは東方遠征って言いましたね。アレクサンドロスが東征をはじめて、イランから中央アジア、果てはインドまで征服したこと、この彼の業績は意外と知られていないんですよ」

「名前ばかりが先走ってるんですね」

「うぐっ……ズバッと言うとその通りなんだけど。

　アレクサンドロスについて知るには、当時の状況を理解しておかないといけません。まずはマケドニアって国から紐解いてみましょう。

　マケドニアはギリシア人の国なんですが、みなさんが古代ギリシアとしてイメージする国とはちょっと違うんです」

「古代ギリシアって、なんといっても都市国家ポリスですよね。アテネのパルテノン神殿とか。マケドニアはポリスではないんですか」

「都市国家ポリスというよりも、バルカン半島北方の農耕地帯を押さえる領域国家なんです。

　マケドニアは前4世紀に勢力を拡大するんですが、ちょうどどこの頃にはギリシアのポリス社会が衰退していました」

「内戦ですね」

「古代ギリシアはペルシア戦争に勝利して繁栄を極めます。都市国家ポリスが力を合わせて東方のアケメネス朝ペルシア帝国を打ち破りました。

　けれども、以降アテネやスパルタを中心にポリス同士の内戦がつづき、社会全体が疲弊してしまったんです」

〜〜〜〜〜〜〜〜〜〜〜〜〜〜〜〜〜〜〜〜〜〜〜〜〜〜〜〜〜〜

「ポリスは仲が悪かったんですか?」

「そりゃもうとにかく悪いです。バルカン半島南部の狭い土地で、少ない農耕生産を取り合っていたから、ポリスはずっと抗争を繰り返していました。そこで彼らは同じ神話や叙事詩を語り合って、ケンカしないように連携していたんですね。隣保同盟っていいます」

「ペルシアという共通の敵があらわれたからペルシア戦争時には一時的に協力したけど、その後は元の木阿弥、また抗争しちゃったわけですね」

図1-5　前4世紀頃の古代ギリシアの状況

「マケドニアにとっては絶好機ですよね。半島北部の穀倉地帯を後背地として、マケドニアは着実に領上を広げていきます。農耕生産は嘘をつかないんです。マケドニア王フィリッポス2世は混乱するギリシアへ進出し、前338年にはついにポリス諸国を征服しました」

「アレクサンドロスのお父さんだ」

「ポリス連合軍を破ったのはカイロネイアの戦いっていうんだけど、18歳になったばかりの若きアレクサンドロスも参戦し、騎兵をひきいて鬼神のごとく敵をなぎ倒したといいます」

② アレクサンドロスの家庭事情

「フィリッポス2世は偉大な王でした。彼は官僚制を整えて、王国の税収を安定させます。ギリシア最先端のトレンド戦術を導入し、軍事力を飛躍的に強めました。フィリッポスは人心掌握にとても長けていて、反抗勢力をときには遠ざけ、ときには抹殺し、王宮内にただようさまざまな思惑を絶妙なバランス感覚で操ったといいます」

「優れた君主に必要なスキルですね」

「それでマケドニア王国はみるみるうちに領土を拡大し、フィリッポス2世はギリシア世界の指導者となりました。その名声は、東方はるかかなたのペルシア帝国まで聞こえます。

　フィリッポスはギリシア神話にあらわれるトロイア戦争、アジアへ向かう英雄たちの冒険譚になぞらえて、マケドニアによるペルシアの征服を夢見ていました」

「そんな父親を前にすると、アレクサンドロスはなんだかこじらせちゃいそうです」

「そうですね、アレクサンドロスは生まれてからずっとそんな父王の姿を見て育ったから、憧憬と嫉妬がうずまく複雑な感情を抱いていたのかもしれません」

「アレクサンドロスのお母さんはどんな女性だったのでしょうか」

「母オリュンピアスはバルカン半島西部の出身で、フィリッポスに見初められて王妃となりました。彼女もいわくつきの人物で、寝るときはいつも大蛇を添えていたなんていう逸話も伝わってます」

「大蛇……うーん、それはちょっと話を盛っているような気がします」

「彼女は祖国を征服したフィリッポスに憎悪の念を抱いていたといわれているけれど、まあそこは愛と憎しみって表裏一体ですから、今となっては彼女の本心を知る術がありません。

　一つ確かなのは、オリュンピアスがアレクサンドロスに病的なばかりの愛情を注いだということです。期待といってもいいかもしれません。"ギリシアの英雄になりなさい。ヘラクレスのように、アキレウスのように"というのが彼女の口癖でした」

「そういうのを幼い頃からえんえんと吹き込むのは教育上あまりよくない気がするのだけど」

「それでも、アレクサンドロスは聡明で利発な青年に成長しました」

「13歳になったアレクサンドロスは、都の近郊に建てられた学校へ入学します。この学校は、王としての素養・品格を身につけさせるための教育機関でした。かの大哲学者アリストテレスも、教師の一人として招かれます。アリストテレスの真髄は万学の体系化にあるから、モノゴトをいかに整理して、どのように関連付けるか、大枠をとらえつつ詳細に迫る思考法はアレクサンドロスに大きな影響を与えたことでしょう」

「先生がアリストテレスだったんですね。めちゃくちゃ贅沢ですね！」

「国家という巨大な組織をマネジメントするためには、体系的なモノのとらえ方が必要ですから、のちに大帝国を築きあげたアレクサンドロスの根底にはアリストテレスの思想がひそんでいるのかもしれません。

　ともあれ、彼は帝王学のほか、ギリシア人としての教養を身につけ、机をならべた学友たちはのちの東方遠征で大王を支える忠実な将軍となりました」

「両親はちょっとあれだけど、友人には恵まれたんだ」

「家庭環境と同じくらい、学校の環境って大事なんですね」

3 東方遠征のはじまり

「前336年、フィリッポス2世が暗殺されました」

「大事件ですね、犯人は誰なんですか？」

「近衛兵の凶刃に倒れたんです。オリュンピアスを黒幕とする説が有力ですが、アレクサンドロスの関与も取りざたされていて、ことの真相はいまだに闇のなか……。

　アレクサンドロスは20歳でマケドニア王に即位しました」

「それで、東方への遠征をはじめるんですね」

「前334年のことでした。父の悲願であったペルシアの征服、そしてギリシアによるアジア支配を目指して、国をあげたプロジェクトを敢行するのです。

　歴史のセオリーとして、国家の拡大運動は避けることができません。なぜなら、国家という装置は自国利益の最大化を止められないからです。政治の原理は富の集約・分配なので、支配する領域が広ければ広いほど中央政府には莫大な富が流れ込みます。指導者たちの得る恩恵が大きいのです。これはもうホモ＝サピエンスの本能といっていいでしょう」

「小さい頃読んだマンガで、主人公の敵役たちはみな世界征服をたくらんでいて、なんで世界征服をしたいの？って思ってたんですけど、それがなんとなく理解できました」

「マケドニアの勢いはとどまることを知りません。アケメネス朝ペルシアになだれ込み、君主ダレイオス3世が指揮するペルシアの軍隊を幾度も撃破します。アレクサンドロスは都ペルセポリスに入城すると、これを焼き払ってしまいました。ペルシアが滅んだのち、イラン高原、中央アジアからインダス川上流域に進出し、彼はついにインドを見わたすところまでたどりついたのです」

図1-6　アレクサンドロス　イッソスの戦いを描いたポンペイの床モザイク

左、馬上の人物がアレクサンドロス　　　　　　　　　提供：Iberfoto/アフロ

 4 東征の果てに

「アレクサンドロスは征服した土地にあわせた支配を進めます。例えば、エジプトではファラオを称して寛容な政治を執りましたし、イランではペルシア人総督を任命して統治にあたらせました。しかし、ペルセポリスの炎上からは状況がうつろいます。

　父王の、いやギリシア世界の宿願は、ペルシア征服までのはずでした。以降のインド行軍は、アレクサンドロスの個人的な戦争といってさしつかえないでしょう。

　彼の衝動、ギリシア語で"パトス"っていうんだけど、それはただインドに注がれていたのです」

「インドに領土を広げて得ることができる富と、無謀な軍事行動による損失を天秤にかければ、どちらが理にかなうかアレクサンドロスならわかる気もするんですが……」

「そもそも、ペルセポリスの街を灰にならしめた行為だって、ペルシア人の

感情を逆なでしてますよね。ちょっと自制心が働いてない感じがします」

「なんでそんな無茶をしたんですか?」

「アレクサンドロスは若すぎたのかもしれませんね。広大なインドを見下ろす峠に立った大王は、齢30です。父のまぼろしを追い求めたのか、はたまた母の呪いをはらうことができなかったのか。

　彼のまなざしはずっとインドに向いていました。慣れない気候、不十分な兵糧、諦めを知らない先住民の抵抗に、部下の将兵たちはひどく疲弊していきます。王の熱情と兵の意識のあいだには埋めがたい溝ができていました。

　アレクサンドロスは部下の懇願で帰路につきました。マケドニアを離れてはや8年、2万キロにおよぶ遠征ですから、将兵の要求もやむを得ないですよね。帰還の行軍は彼の挫折と喪失感を反映するように大変な苦難の道のりでした。ペルシアの旧都スサへ帰還する頃には、たくさんの将兵を失っていました。

　その後、さらなる遠征計画を練っていた若き王は、バビロンで突然の熱病におかされます。朦朧とする意識のなかで、アレクサンドロスは何を思っていたのでしょうか。前323年、彼は静かに息を引き取りました。32歳と11カ月でした」

5 アレクサンドロスは何を為したのか

「その後、マケドニアはどうなったんですか?」

「アレクサンドロスの死後に後継者争いで帝国は分裂しますが、東方遠征によってギリシア世界が東方はるかインド北部まで広がりました。この時期をギリシア風という意味で、ヘレニズム時代といいます。各地には世界市民主義の風潮が波及し、東方と西方の技術・思想が融合する新たな時代をむかえました。大王がのちの世界に与えた影響です」

「でも、それってアレクサンドロスが意図したことではないんでしょう

ね、たぶん」

「彼は古代ギリシアの体現者であり、父と母に縛られた一人の青年でした。

　イルカさんが言う通り、その後の世界がどうなったかなんて、彼にとってはなんら意味のない事柄なのかもしれません。

　歴史は一定のルールに従えば一定の結果を見ることができます。もちろん地域や気候によって入力する条件は異なりますが、いくつかの基本的なしくみさえ押さえておけば、ほとんどの事象は説明がつきます。

　けれど、人々の理想が一人の人間へあまりにも投影されると、そして人を縛る想いがあまりに強すぎると、歴史はときに予期できない動きを示すのです。アレクサンドロスの東征は世界史上もっともイレギュラーな事象の一つでした」

「うーん、なんだか壮大で、それでいてとっても個人的な話ですね」

ガウタマ゠シッダールタ

悟りを開いた仏教の創始者！

道しるべ

- バラモン教の腐敗の構造を理解しよう
- ウパニシャッド哲学の動きを知ろう
- 仏教はどのように広がったのだろうか

「今回は、仏教の創始者ブッダを取りあげます。ガウタマ゠シッダールタっていうのは彼の本名です。羊くん、ブッダってどんなイメージ？」

「偉い人です！」

「そ……、そうですね。では偉い人の定義は？」

「むーん、考えたことなかった。偉いってなんだろう。社会的地位？」

「社会的地位と定義するなら、ブッダはもともとシャカ族の王子なんです。最終的にはその立場を捨ててしまうんですけどね」

「偉いの定義か……。例えば、後世に大きな影響を与えた人物、なんてのはどうでしょう」

「いいですね。それがどんな影響なのかも関係してくる気がしますが、ブッダはとにかく影響が大きいですよね。なんにせよ、コトバの定義を常に考えるのはとても大切なことですよ」

「良い影響、悪い影響にしても、良いとか悪いってそもそもいったいなんなの、っていうことになりますもんね」

「そう、その調子です！

なじみは深いけれど詳しくは知らないガウタマ゠シッダールタについて、そのバックグラウンドを紐解きながらお話しします」

---

 1 南アジアとインダス文明

「ところで羊くん、インドってどんな形してますか？」

「形⁉　ええっと、逆三角ですよね。ユーラシア大陸にガッとくっついている感じ。それがブッダと何か関係あるんですか？」

「地形や気候って歴史に深く関わってくるんです。インドの地理をわかっていれば、ブッダのことをより深く理解できると思いますよ。

　インドを中心とする南アジア世界は、北部は山に囲まれているんです。ヒマラヤ山脈やヒンドゥー＝クシュ山脈が連なっていて、中心には"世界の屋根"といわれるパミール高原がのっかっています。一方、半島部分は海に突きだしていて、インド南部にはデカン高原が広がっています。ちょうど地図ではこんな感じ（図1-7）。

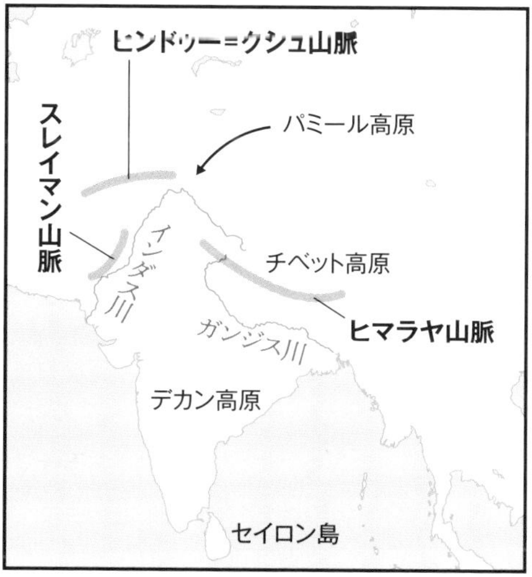

　西にインダス川、東にガンジス川がありますね。土壌がよく、農耕に適しているんです」

「農耕が行われると、富の集約と分配をきちんと管理するから、文明が生まれるんですよね」

「そのあたりはかなり複雑な議論があるんだけど、農耕っていう産業形態が文明社会を推し進めたことは確かでしょ

図1-7　インドの地形図

ヒンドゥー＝クシュ山脈

スレイマン山脈

パミール高原

インダス川

チベット高原

ガンジス川

ヒマラヤ山脈

デカン高原

セイロン島

う。インダス文明が登場します。

　羊くん、世界史でまず確認することはなんですか？」

「場所と時期です！　インダス文明はその名が示す通りインダス川流域として、時期は……、えっと教科書で調べると、前2600年頃から前1800年頃ですね。

　んんっ？　ブッダの活動時期とぜんぜん違いませんか？」

「きちんと調べる癖はとてもいいですね。ぼくも見習います。

ブッダは前5世紀の人物ですから、ずいぶん前ですよね。でも、まずは歴史的背景から探っていきましょう。

　インダス文明はインダス川上流域から下流域まで遺跡が広く分布していて、レンガ造りの住居や共同浴場など、高度な都市計画によってつくられました。ただし、大規模な王権を示す宮殿や陵墓（りょうぼ）はあまり見つかっていません」

「王権がなかったんですね」

「痕跡があまり見つかっていないだけでなんともいえないんだけど、古代文明の多くは王に強力な権限を与えることが多いから、インダス文明はちょっと不思議なんですね。インダス文字を使っていたのだけど、印章に刻まれたこの文字は未解読で、その詳細はよくわかっていません」

2 アーリヤ人の侵入とバラモン教

「インダス文明が衰退すると、インド北部のカイバル峠からアーリヤ人の南下が進みました。彼らはインド゠ヨーロッパ語族とされています」

「アーリヤ人がインダス文明を衰退させたんですか？」

「そうかもしれないし、そうじゃないかもしれない。ただインダス文明の衰退と彼らの南アジア進出は並行して起こりました。前1500年前後のことです。アーリヤ人はインダス川流域で先住のドラヴィダ人を征服しながら、前1000年頃にはガンジス川下流域まで居住地域を広げたんです」

図1-8　アーリヤ人の侵入

アーリヤ人 前1500年頃
カイバル峠
インダス川
パンジャーブ地方
ガンジス川
前1000年頃

「アーリヤ人は元々遊牧を行っていたのだけど、インドの先住民と接触し衝突を繰り返すと農耕を学んで定住しました。生産労働に先住民のドラヴィダ人を使役すると、徐々に階層が姿をあらわします」

「ヒエラルキーだ。階級社会の色が濃くなっていったんですね」

「ヴァルナ制といって、上位からバラモン、クシャトリヤ、ヴァイシャ、シュードラの順に階級化されました。バラモンは司祭・聖職者、クシャトリヤは武士・貴族、ヴァイシャは商人などの一般大衆で、ここまでがアーリヤ人。シュードラは農業や牧畜に従事する隷属民で、ドラヴィダ系の民族がここに属しました。さらに下の階層には不可触民が存在します。その後、地域や職業によって階層が細分化していくと、これがカースト制になりました」

「カースト制ってそんな昔に形成されたんですね」

「厳格な階層制は、徴税と分配を行う国家の運営をスムーズにします。バラモンたちは自身の階層を保持するため、神々の賛歌集ヴェーダを用いて祭祀・儀式を執り行いました。そうしてバラモン教が成立します」

「儀式やお祭りをして、バラモンの権威を維持するんですね。なんだか、入学式でぜんぜん知らない偉い人が次々に挨拶する、あれに似てませんか」

「そうかもしれない……。

　儀式は富を集約する格好の装置ですよね。大衆は富をささげて報いを求めます。それで、前1000年頃から数百年も経つと、バラモンたちは祭祀至上主義に陥りました。上位階層の保守化は、政治の腐敗といっていいでしょう」

③ 腐敗の構造と改革運動

「バラモンの腐敗に対して、大衆はどのように反応するんですか？」

「歴史が動くのは、ヒエラルキーが硬直化したときです。

いつの時代もイベントの開催はとても儲かるしかけでした。そして、腐敗に対して抵抗運動が起こります」

「ふむふむ、抵抗運動の構造は、上位層の腐敗に対する反発なんだ。いわゆる革命と考えていいでしょうか」

「そうですね。世界史で学ぶたいていの革命・改革運動はこの構図によります。

　バラモン教内部で、“ウパニシャッド”の動きが起こりました。哲学思想の改革運動です。ウパニシャッドは奥義書と訳され、祭式による果報よりも内面の思索を重視する風潮なんだ。この哲学のとくに大切な思想は梵我一如と呼ばれ、万物の根源である梵と、個体の本質である我は同一であると考えています。そして、その同一性を認識できれば、輪廻転生からの解脱が可能になりました」

「？？？　何かの呪文ですか」

「呪文に聞こえますよね……。かいつまんでいうと、自分の内面を探って苦しい輪廻から脱却しようと考えます。さらにくだいてみると、儀式っていらないよね！ということです」

「祭祀に参加しなくていいってことですか」

「修行って聞いたことありますよね。行を修めれば解脱に達するわけで、そこに堅苦しい祭式はなんら必要ないんですね。

　こうして、バラモン教の内部で改革運動が進みました。ならば、その流れで新しい宗教が誕生しても少しも不思議ではありませんよね。仏教のおこりはこの文脈上でのことなのです」

 4 ガウタマ＝シッダールタの生涯

「ブッダはいつ出てくるんですか？」

「今です！

　ガウタマ＝シッダールタの生没年には諸説があって、前563年頃から前

483年頃、もしくは前463年頃から前383年頃といわれています。100年も差があって正直困るんですが、論拠とする仏典の記述に違いがあるためです。大体、前500年頃の人物と考えてください。

　出生地はネパールのヒマラヤ山嶺地方で、シャカ族の王子として生まれました。彼の尊称の一つである釈迦牟尼は、シャカ族の聖人という意味です。出自が王族でしたから、妻子にも恵まれ何不自由のない生活を送っていました」

「お金持ちだったんだ。裕福なのに仏教を創始したんですか？」

「世界史ではわりとそういうことがありますよ。例えば、イスラーム教を創始したムハンマドも商人貴族の出です。余裕のあるほうがいろいろ考えられるのかもしれませんね。

　ガウタマは29歳のとき、人間の老・病・死を見て無常観にとらわれ、妻子や地位、財産を捨てて出家しました」

「すべてをかなぐり捨てて修行に入ったんですね。なんでまたそんな風になっちゃったんですか？」

「四門出遊という故事があって、城の東門で老人に、南門では病人に会い、西門で死者を見たガウタマは〝この世には老いも病も死もある〟と感じたのだけど、北門で出会った一人の修行者の、煩いごとや汚れを捨てた清らかな姿を目の当たりにして、出家を決意したらしいです。それまでも人の死生観に思うところがあったんでしょう。

　彼は6年間にわたってあらゆる苦行を行ったのちにブッダガヤの菩提樹の下で座禅して何日も黙想したところ、真理を得て解脱し、悟りに達しました。ちなみに、ブッダとは悟りを開いた者という意味です」

「うーん、そんなに長く苦行をしないと真理に達しないんですねぇ。そうしてガウタマの思想が広がって、教団がつくられていくんだ」

「その通りです。ガウタマは自身の教えを広く伝えました。周りには弟子が集い、修行者の共同体が生まれて教団を形成します。彼の教えの大枠は、4つの真理である四諦と、8つの正しい生活法である八正道に見る

ことができます。根底にある精神は中道で、極端な苦行や快楽は避けて、日常生活の浄化に努めるよう説きました。バランスがいいんですね。

　彼は80歳で没するまでの45年間、遊行と布教を精力的につづけました」

5 仏教の役割

「仏教の誕生は、バラモン教の改革運動に背景があったんですね」

「そうです。この時期には仏教のほかにも、ジャイナ教など新たな宗教が各地で誕生しました。歴史の必然といっていいでしょう。

　仏教はガウタマの出身身分であるクシャトリヤの帰依に加え、商人層が多く属したヴァイシャたちの賛同を得ました。クシャトリヤはバラモンの支配に代わる新たな統治システムを求めていた時期ですし、ヴァイシャは商業活動の発展により、階層間の活発な交流を望んでいたのです」

「政治や社会の問題でもあったんだ」

「バラモンによるヒエラルキーの硬直化が、彼らにとって由々しき事態であったのです」

「そのあと、仏教はどうなっていくんですか」

「当時のインドは小国が分裂する政治混乱の状態にあったのですが、前317年頃にマウリヤ朝という王朝国家がインドのほぼ全域を統一しました。最盛期には現代日本の10倍ほどの領域を支配下に入れたわけだから、恐ろしく大規模な事業ですよね。広大な場所で富の集約と分配を効率よく機能させるには、何か気の利いたカラクリが必要です。そこで、マウリヤ朝最盛期のアショーカ王は仏教を統治に利用しました」

「政治と宗教の関わりだ……！」

「古代インド哲学には"ダルマ"という普遍的な倫理規範がありました。王はこの理念の下、大衆に規律正しい生活を求めます。みながルールを守って納税に励めば、国家のマネジメントはすこぶるうまくいきますよね。

　アショーカ王は周辺諸国を征服した際に積み重なる死体を見て深く悔

い、仏教に帰依しました。宗教的な内省が彼のなかにはもちろんあったの
でしょうが、一方で仏教を保護して政治に利用したんですね。

　彼は散り散りになった経典を編纂しなおし、仏典の結集を進めます。ま
た、息子をセイロン島（スリランカ）に派遣して仏教を布教させるのだけ
ど、これが季節風貿易の活動にともなって東南アジアの大陸部に広がりま
した。タイやミャンマーで信仰される上座部仏教（南伝仏教）です」

「日本も仏教を導入しますよね？」

「中国から朝鮮半島を経て、仏教がやってきました。6世紀頃といわれて
います。古来の多神教が定着している日本ですから、はじめは布教が進ま
なかったのですが、推古天皇が仏教に帰依すると、聖徳太子は十七条の憲
法で"篤く三宝を敬え"と説きました。これは官僚や貴族への訓示のよう
なものですが、中間身分に仏教思想を用いて行政を進めるよう求めたの
も、仏教が国家運営に用いられたことの証拠でしょう。この後、仏教は神
社崇拝と習合しながら日本で根を張っていきます。なお、中国や朝鮮、日
本で信仰されている仏教は大乗仏教（北伝仏教）といいます」

図1-9　北伝仏教と南伝仏教

「先生、インドって今ではヒンドゥー教の世界ですよね。てことは、仏教
は下火になっちゃったんですか？」

「インドでは、4世紀に起こったグプタ朝の時期にヒンドゥー教が浸透していくと、仏教は排撃されて衰退しました。しかし、東南アジアや東アジアでは今なお人口の大多数が信仰する宗教です。ガウタマ＝シッダールタが説いた教えは、インド内部でさまざまな教団に分裂し各地に広がっていくと、その地方の土着信仰と習合しながら独自の発展を遂げました」

「なるほど、仏教の教えは今でもインドに根付いているわけですね。

ガウタマ＝シッダールタが現代に蘇り、奈良の東大寺に連れていったとしたら、はじめの教えと違いすぎて腰を抜かすかも。背景と影響を押さえながら、ブッダの生涯をもっと学んでみたくなりました」

第1章 古代

カエサル

ローマ共和政の英雄！

道しるべ

● 古代ローマの政体を確認しよう
● カエサルはどの地域を征服したのだろうか
● なぜカエサルは暗殺されたのか、その理由を知ろう

「今回はカエサル。聞き手はイルカさんです」

「カエサルは授業で習いました。ローマ共和政末期に活躍した人物ですよね。でも実際どんな人なのかよくわからないのが本音です。名前先行型？」

「し、辛辣……。逸話や名言の枚挙にいとまがないのがユリウス゠カエサルですが、"なんか知らんがすごい人""ローマの英雄""エンペラー！"という評価の反面、いったい何をした人なのかさっぱりわかりませんよね。

　世界史の人物って、ぼくたちとは異なる地域・時代のヒトだから、バックボーンとなる歴史を知っておかないと、なんだか腑に落ちないことが多いんです。超有名人カエサルの生涯を、古代ローマの歴史を学びながら解明していきましょう！」

🧭 1 古代ローマを解体

「古代ローマ史、みんな好きですよね。私の友達にも古代ローマ好きの子がたくさんいますよ。なんだか明るい感じ。でもローマ史って一通り学習を終えてもなんだかよくわからないままなんです」

「古代ローマは世界史の花形テーマですよね。けれども、全体を見渡す歴史観がないと、これはいつの話なのだろうかって迷いの森に誘い込まれてしまいます。ローマの歴史はざっと1200年くらいの長さ、日本史で置きか

第1章 ▼▼▼ 古代

第2章 ▼▼▼ 中世

第3章 ▼▼▼ 近世

第4章 ▼▼▼ 近現代

43

えると平安時代から現代までのスパンですから、その時期によって歴史の様相はかなり違ってくるんです」

「とっても長いですね」

「そこで、ローマの歴史を、①ローマ建国期、②ローマ共和政期、③ローマ帝政期の3つに分けてみましょう。カエサルは②の時期の人物です。

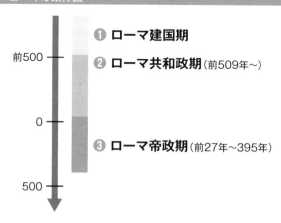

図1-10　ローマの政体図

❶ ローマ建国期

❷ ローマ共和政期（前509年〜）

前500

0

❸ ローマ帝政期（前27年〜395年）

500

　ローマの成立は前753年。ティベル川に捨てられたあと、オオカミに育てられた双子の孤児が成長し、街の建国を巡って抗争しました。兄ロムルスと弟レムスの戦いはお兄さんが勝利し、都市国家ローマが建てられます」

「じつに神話っぽいですね」

「ラテン人の国家ローマ、はじめは異民族エトルリアの王を戴いていたんだけど、貴族たちが王を追放して共和政となりました。彼らは終身の元老院議員となり、平民たちを支配するヒエラルキーを形づくります」

「王政から共和政になったんだ。古代ギリシアのポリスと似ていませんか」

「そうですね。この時期のローマはまだ小さな都市国家だったんです。

　ローマは周辺諸都市との抗争に明け暮れます。古代社会では平民が兵力を担っていて、彼らは武具を自前で用意し重装歩兵となり、国を守るため

に戦いました」

「当時の平民って農民ですよね。それで兵士なのも、ギリシアにそっくりなんですね。同じように身分闘争が起こったんでしょうか」

「はい、その通りです。

　国防するのは平民なんだけど彼らには参政権がなく、法律を制定して政治を行うのはもっぱら元老院でした。そこで平民は参政権を求めて貴族に抵抗し、前400年頃には徐々に発言力を増していったのです。

　平民を護るポストが置かれ、平民会と呼ばれる集会が設置されました。元老院をとりまとめる執政官コンスルは伝統的に貴族2名とされていたのですが、そのうち1名は平民から選出することが定められました。平民の地位が向上したのです」

「この経緯は、受験に出そうですね」

② ローマ共和政の混乱

「前3世紀に平民会で決まったことが国の法律として運用されるようになると、身分闘争はいったん落ち着きました。貴族と平民の法的平等が達成されたんです。この頃イタリア半島全域を支配下に入れていたローマは、さらなる領土拡大を目論みました」

「身分闘争を進めながら領土を広げたっていう理解で問題ないですか?」

「そんな感じですね。イタリア半島は農耕生産が豊富で、ある程度の人口を抱えることができたから、領域国家として拡大できました。ローマがギリシアのポリスと異なる点です。

　今度は地中海の覇権を巡って、北アフリカの強国カルタゴと対立します。ポエニ戦争です。3回にわたる大戦争に勝利したローマは、シチリア島などの属州を獲得しました。これがだいたい前200年頃のことです」

図1-11　ポエニ戦争後のローマの領域

凡例：ポエニ戦争終結までにローマ領となった範囲

イベリア半島／コルシカ／ローマ／サルデーニャ／カルタゴ／シチリア島／ヌミディア

「地図を見ながら、"いつ"と"どこ"をチェックしないとすぐにこんがらがりそうですね」

「それが大切なんですよ。時期と場所は、常に確認する癖をつけておいてください。

　領土の拡大で社会システムが変容し、ローマは政治的な混乱期を迎えます。貴族や新興地主たちが属州で大農場経営を行うと、社会が動揺してしまったんです」

「戦争に勝って領土が広がったんですよね。そこで農業を行ったんだから、ローマにとっては良いことのように思うんだけど」

「そううまくいかなかったんです。新しい農地では戦争捕虜を奴隷（どれい）として使ったから、人件費を抑えて安く生産できるんだけど、属州産の安価な穀物がイタリア半島に流入してしまいました。それまでイタリア半島で農業を営んでいた中小農民が属州からの穀物に価格競争で負けてしまって、職を失い没落します」

「あぁ、なるほど。メリット・デメリットですね」

「農民は大体が平民で、重装歩兵となり国防を担っていました。このため農民が没落してしまうと兵力の維持が難しくなってしまいました。領土の膨

張は必ずしも国家の安定につながらないのです」

「何か対応策はあったんですか」

「歩兵制度に代えて、傭兵が用いられました。私兵といいます。それで、有力者は自身の財力を背景として私兵を囲いはじめ、政治権限を求めて互いに抗争し、"内乱の１世紀"がはじまったんです」

「戦争に勝ったのに内乱が起こっちゃったんですね。なんとなく教訓的な話だ」

「とくに元老院を権力の拠りどころとした閥族派のスラと、平民会の勢力を背景に台頭したマリウスは激しく対立し、ローマ共和政が混乱しました」

---

 3 カエサルの台頭

「カエサルの本名は、ガイウス＝ユリウス＝カエサル。生年は諸説ありますが、だいたい前100年前後といわれています。貴族ユリウスの氏族は名門ではあるのだけど、当時はずいぶんと没落していました。しかも、彼が政治の世界に入った頃は閥族派のスラが権力を握っていて、平民派につながりがあったカエサルは冷遇されます。才気にあふれてはいたんだけど台頭のチャンスがまわってこなくて、各地を転々としました」

「いかに才能があってもタイミングがあわないと芽が出てこないんですね」

「スラは若いカエサルを脅威に感じていたのか、一時は暗殺しようと画策したこともあったとか。そんな青二才を手にかけるのはさすがにどうなのかと周りに諭されると、"この少年のうちにたくさんのマリウスが見えないのか"と言いました。スラは若者の野心に気づいていたのでしょう」

「カエサルってエピソードにこと欠かないですよね。海賊に捕まったときに身代金が安すぎるってクレームをつけたとか好きな逸話です」

「スラの部下に追われて海路で小アジアに逃れようとしたカエサルは、地

中海の海賊に捕まってしまいました。海賊は解放に20タラントを要求したのですが、彼は“安すぎる、もっと要求しなさい”と金額を50タラントに引き上げたといいます。1タラントって、数千万円くらいの価値なんですよ。自分を安売りしなかったのですね。

　禿げ上がった頭に張り出した“えら”、しかし女性にはとてもモテたというから、人を惹きつけるユニークな人物であったことがうかがえます」

「前78年にスラが死去すると、カエサルはローマの要職を歴任します。共和政では平民の人気を得て彼らの支持を取りつける必要があったから、彼はイベンターとして大規模な見世物を開催し、饗宴を準備しました」
「平民は没落していたんじゃないんですか？」
「彼らにはローマ市民権が残っていたんです。身分闘争によって政治的立場が上がり、平民会の議決にも参加できた。無産市民となってローマに流れ込んだけれど、それでも権限を持っていたワケですね。有力者は平民を優遇します。“パンとサーカス”といって、食料と見世物を提供して支持を取りつけたんです。

　カエサルも選挙では派手な買収を行いました。それで資産を湯水のように使い込んで大きな借金を抱えてしまい、にっちもさっちもいかなくなっていたのですが、富豪クラッススの支援でなんとか危機を切り抜けます」
「世渡りが上手なんですね。それとも運が良かったのか」
「両方でしょうね。

　ちょうどこの頃、ポンペイウスという人物が元老院に対して反抗的な態度を示していました。彼はスラの腹心で、小アジアやシリアの遠征で軍功をあげた将軍です。

　ポンペイウス一人に権力が集中しても面白くない。そこでカエサルはクラッスス、ポンペイウスと密約を結んで、前60年から第一回三頭政治をはじめました。元老院を無視して、3人の有力者が協力しながら政治を行い

ます。ここにいたってカエサルは、ローマ支配者の一歩手前まで駒を進めたのです」

④ 天下統一へ

「第一回三頭政治って、権力を分散しパワーバランスをとろうってことですよね。3人による均衡状態ってわりと危うくないですか？」

「そうですね、一人いなくなると一騎打ちになるから、三頭政治はすぐに崩壊します。

　カエサルはガリア遠征を行いました。ガリアは現在のフランス一帯をさします。遠征軍の指揮権を手にしたわけだから、これはカエサルにとって栄誉職であるだけでなく、強大な軍事力を背景に、ローマの実権を握るチャンスでもあります」

「先生、ちょっといいですか。世界史では実権とか権力みたいな用語がたくさん出てくるけれど、これってつまり軍事力って理解でいいでしょうか」

「そうですね、権力にはいろいろな機能があって、徴税権とか立法権、官僚の人事権なんかも含まれるんですが、ここでは権力＝軍事力と定義しましょう。軍事力があれば、ほかの権限を動かすことができますから」

「軍事力の掌握が、国家権力への一番の近道なんですね」

「当時のガリアはケルト人やゲルマン人が入り乱れて混乱状態、カエサルの征服活動は困難を極めます。しかし、7年にもおよぶ遠征で彼はガリアからブリタニアまで広範囲の地域を支配することに成功しました。自らの征服活動を記録した『ガリア戦記』は明瞭簡潔な文章で、現在でもラテン語のテキストとして大学の講義などで使われているんですよ」

「先生は学びましたか？」

「講義をとった覚えはありますが……、あまり思い出したくない……」

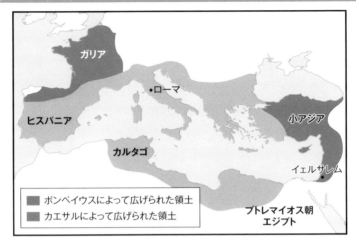

図1-12　第一回三頭政治期のローマの周辺図

ガリア

・ローマ

ヒスパニア

小アジア

カルタゴ

イェルサレム

■ ポンペイウスによって広げられた領土

■ カエサルによって広げられた領土

プトレマイオス朝
エジプト

「さて、カエサルの外征中、イラン方面に遠征していたクラッススが戦死しました。一方で元老院は権限を拡大するカエサルに反感を覚えてポンペイウスと結びます。そしてポンペイウスは、カエサルの即時ローマ帰還と武装解除を求めました」

「軍を解散して降伏しろと詰め寄ったワケですか」

「カエサルとポンペイウスの全面戦争が迫ります。カエサルと彼の軍勢はガリアとイタリアの境界、ルビコン川にさしかかりました。本来ならばここで武装を解かないといけないのだけど、彼は兵士たちに進軍を命じるんです」

「"賽は投げられた！"ですね」

「カエサルは兵たちを鼓舞しながらローマに進みました。

　ポンペイウスは東方に逃れてカエサルを待ち受けるんだけど、ギリシアでの決戦に敗れてエジプトに逃れます。当時のエジプトはプトレマイオス朝の時代で、ずっと内紛がつづいていました。それで、カエサルに乗っかろうとする勢力によって、ポンペイウスは謀殺されてしまったんです」

「逃げ込んだところで殺害されてしまうんだ」

「カエサルはエジプトのアレクサンドリアに入城すると、弟王と対立する

クレオパトラに接近し、エジプトを制圧しました。そして、彼女と結婚してエジプト女王に即位させます。さらに小アジアに軍を進めてここを平定すると、ローマへ送った報告書には"来た、見た、勝った"のわずか3文字。もはや元老院など眼中になし、といった雰囲気ですね。そしてローマに帰還し、ポンペイウスの残党勢力を討伐します。天下統一が目前に迫りました」

5 夢の果てに

「カエサルは、前46年に独裁官に就任します。ついにローマ最大の権力者となりました。数々の戦功をあげたカエサルだけれど、優れた洞察力と実行力を備えた彼の本分は統治政策にあるといっても過言ではないでしょう」

「政治がうまいんですね。でも"政治が上手とか下手"っていったいどういうことなんだろう……？」

「徴税と分配のバランスが絶妙なんです。政治の得手不得手はここにつきるでしょう。

　無産市民や老兵に土地を与え貧民を救済し、平民の身分向上に努めました。元老院に新たな人材を登用し、属州では徴税方法を一新します。都市法を制定し、市民権を拡大、奴隷の解放を進めました。またエジプトから太陽暦を導入してユリウス暦を制定すると、農業の効率化が進んだのです」

「制度を改めて効率化するって、フランス革命に通じるところがありそうですね」

「前44年の2月には終身の独裁官となったカエサルは、軍司令官を兼任します。この役職はインペラトルといって、エンペラーの語源にもなりました。カエサルはここに至って名実ともにローマの最高指導者となったのです。彼は東方パルティア王国の征服を構想します。アレクサンドロスです

「ら成し遂げることのできなかったオリエントのさらに深く、インドまで思いを馳せました」

「……望月の欠けたることもなしと思えば……って感じですね。権力をつかむと権威も同時に上がっちゃいそうなんですが……」

「そうですね、カエサルの神格化が進みました。その振る舞いは、もはや王そのものです。"もしかして彼は王位に就く気なのではないのだろうか"、ローマ共和政の伝統を重んじる者たちはそう怪しんだのです。元老院や平民会の歴史が長いですからね。カエサルのさらなる野心があからさまになると、共和主義者の警戒心を煽りました。

　そうして前44年３月、カエサルは元老院の議場で共和派の襲撃にあい、暗殺されます」

「"ブルートゥス、お前もか"で有名なシーンですね」

「カエサルに縁故がある者も暗殺に参加したんです」

「ううーん、出すぎた杭はなんとやらだ」

「カエサルの死後、ローマ共和政は再び混乱し、彼の部下によって第二回三頭政治が行われました。オクタウィアヌスがこれに勝利すると、ローマは帝政をはじめます。しかしカエサルの前例から、彼は元老院や平民に譲歩し、自身を"市民の第一人者"と称しました。

　ローマ帝国前半期において、皇帝・元老院・平民がバランスをとりながらローマの平和、パクス゠ロマーナを実現できた背景は、カエサルが旧体制に数々の風穴を開けたからにほかなりません。また、彼の遠征はローマ文化をヨーロッパに広げ、西欧文化圏の基礎を形づくったといえるでしょう」

「カエサルって学べば学ぶほどつかみどころがないですね。

　先生、カエサルの歴史的意義っていったいなんなんでしょうか」

「野心家であり優れた将軍で、政治的手腕も確か。部下を愛して政敵には

52

恩赦を与えるが、恐ろしく非情な一面がありました」

「でも、さぁこれから！というところで暗殺されてしまったんですよね」

「このため、多くの人はカエサルの本を手に取ってみてもなんだか化かされた気分になってしまうのです。

　カエサルをいかに考えるか、これは歴史のうねりとともに考える必要があります。共和政末期のローマは内外に多くの矛盾を抱えていました。拡大した領土によって租税体系は複雑化し、農業システムの変化はこれまでの社会を破壊しました。身分の格差は開く一方で、民衆の不満は日に日に増していく。そんななか、調停者として現れたのがカエサルでした。彼は肥大化するローマの要求を飲み込んで咀嚼し、それを彼なりに還元したのです」

「カエサルを装置として考えると、面白そうですね」

「しかし歴史は彼を拒絶しました。カエサルからしてみれば、暗殺されたのちに結局ローマは帝政を敷くわけだから、これほど理不尽なことはないでしょう」

「そうですよね。最終的には国王より権威権力の強い皇帝を戴いたわけですから」

「ローマ帝国はその後、200年間にわたって平和を享受します。しかし3世紀に入ると帝国の政体は瓦解していきました。最後の100年間はオリエント的な専制君主政をとります。そうして4世紀末に帝国は崩壊するんです」

「うーん、カエサルはきっと高らかに笑いながらローマの歴史を眺めていたのではないでしょうか」

始皇帝

中国をはじめて統一し、皇帝を名乗った！

道しるべ

◎ 戦国時代の分裂と秦の台頭を押さえよう
◎ 始皇帝の政治の内容をまとめよう
◎ 始皇帝の歴史的意義とはなんだろうか

「羊くん、何してるんですか？」

「秦将騰の物真似です。剣を振り回して敵をなぎ倒すんですよ。先生、知らないんですか？」

「ええっと……、不勉強ですみません」

「今回は始皇帝なので、気持ちが昂ぶってるんです」

「まあ、始皇帝は世界史上でもトップを争うくらいの超有名人。マンガや映画でも取りあげられていてコアなファンがいますよね」

「楽しみです！ ちなみに秦将騰は出てきますか？」

「えっと、その……。出ません」

⚹ 1 統一とは何か

「わかるは、分ける。まずは中国の王朝を確認しましょう。羊くん、順番に言えますか？」

「もちろん言えますよ。水戸黄門の歌に合わせるんですよ。
　殷〜、周〜、春秋〜、戦国、秦〜♪」

「そのあとは？」

「ええっと、か、漢〜、う……、かん〜⁉
　すみません、わかりません」

「意外と言えないですよね。王朝の順序を知っておかないと、いつ頃の話なのかいまいちイメージができないんですよ」

「確かに」

「日本史なら話がはやいです。学校で習ったりドラマで観たり、その歴史背景を私たちはなんとなく肌で感じることができるのだけど、中国史はどこまでいっても他国の話だから、中国史の人物を理解するために王朝の順番と特徴を分類しておきたいんですね」

図1-13　中国王朝の順番

王朝	年代	出来事
殷	前16世紀〜	神権政治　甲骨文字を使用
周	前11世紀〜	封神演義の時代
春秋・戦国時代	前770年〜	孔子の教え　秦王政の統一運動
秦	前221年〜	始皇帝の統治
漢	前202年〜	漢の劉邦の統一　武帝の統治　後漢末期に三国志の時代
魏晋南北朝	220年〜	遊牧民の華北侵入
隋	581年〜	煬帝の統治
唐	618年〜	三蔵法師の渡印　玄宗と楊貴妃
五代十国	907年〜	短命王朝が乱立
宋	960年〜	王安石の新法　女真族の金
元	1271年〜	フビライ゠ハンの中国支配
明	1368年〜	北虜南倭
清	1644年〜	康熙帝の最盛期　ラストエンペラー・溥儀

「始皇帝の活躍は、秦代ですよね」

「そのほか中国史の有名どころだと、項羽と劉邦の争いは秦から漢に移るところですね。三国志は後漢の末期だし、孫悟空と三蔵法師で有名な西遊記は唐代で、フビライ゠ハンは元代、ラストエンペラー・溥儀は清朝末期の人物です。中国王朝をきちんと分類するのは、とても大事なんですよ」

〜〜〜〜〜〜〜〜〜〜〜〜〜〜〜〜〜〜〜〜〜〜〜〜〜〜〜〜〜〜〜〜〜〜〜〜

「ところで羊くん、"統一"とはいったいなんのことでしょうか」

「で、出た。"これっていったいなんのこと"攻撃……！

いつも返答に困るんですよね。統一っていうと……国を一つにする、み

たいな」

「なるほど、なるほど。統一って世界史の教科書でも、しれっと使われているコトバですよね。ほかには、"支配""滅亡""平和"など、当然みんなわかっているものとして登場しています。でも意外なことにコトバの定義っておざなりにされていることが多いんです。

　定義を把握することはとても大切な素養で、一度押さえてしまえば教科書の小難しい内容がスムーズに理解できるようになりますよ」

「定義をうんざりするほどしつこく確認するのは、そういうことだったんですね。納得です」

「うんざり……。

　コホン……、統一とは"支配の一元化"のことです」

「うーん、支配の定義も必要ですね」

「その通り！　支配とは富の集約と分配を行うこと。そうすると、始皇帝の中国統一は、"全中国の富を人々から集約し、それを分配する機能を手中に収めた"となります。これを中央集権といいます。

　秦の政府が全土の大衆から徴税を行うのですが、当然反発もある……、税なんてなるべく払いたくないですよね。そこで、強大な軍事力を用いて民衆を従わせます。始皇帝は恐ろしいほどの武力を背景に、一元的な支配を行いました」

「中央集権も教科書でよく見る、だけど実態がわからない用語ですね。読んで字のごとく中央に権限を集める、つまり徴税と分配を中央政府の意思で行う、ってことでいいでしょうか」

「いいですね。その調子です！

　なお、中央集権の対義語は地方分権であり、これは各地の有力者が勝手気ままにその地域の徴税・分配を行っている状態です。

　歴史上の王朝国家は中央集権と地方分権の狭間をさまよいます。世界中どこの社会でも基本的に同じですから、この構造を頭に入れておけば歴史の理解度がグッと高まりますよ」

「統一といっても中国の領土は極めて大きいです。秦の領域はこんな感じ（図1-14）。今の中国の領土よりも小さいですが、それでも日本の何倍もの広さです」

図1-14　秦の領域

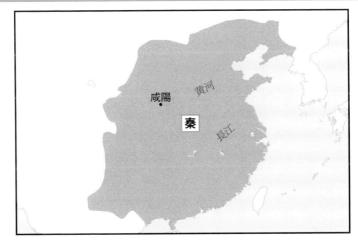

「ここを統一するのは大仕事だ」

「羊くん、何かいい方法はないですか」

「うーん、ハンムラビ王のところで学んだ神権政治でどうですか。皇帝に神のごとく絶大な権威を与えるとか」

「いいじゃないですか、古代王朝はだいたい猛烈な神権政治を行いますからね。

　そのほか強力な統治システム、帝国を維持するしかけが求められました。官僚制です。官僚を育成し各地に派遣して、彼らが政治を執りしきりました。中央の法にもとづいて徴税と分配を行います。

　官僚は政府の意思を文書で伝えて政治を動かしたから、文字を読み書きする能力が必要でした。そのため中国の官僚は"読書人"と呼ばれます」

「ぼくは文字の読み書きができるから、古代中国に転生したら高級官僚

だ！」

「そういうマンガ、ありそうですね……。

　とにかく中国の歴史ってシステムをつくって運用するところに特徴があるんですよね。しくみや制度で国家機能をスムーズに運営するんです。

　秦では領土を郡と県に分けて、高度な官僚体系を整えました。郡県制といいます。このしくみは始皇帝の話と密接に絡んでいるので、ぜひ頭の片隅に置いておいてください」

❸ 周と春秋・戦国時代

「ここで古代中国の状況を見てみましょう。中国最古の王朝は"夏"、次の"殷"が現在確認できる最古の王朝と受験世界史では教えていますが、殷を滅ぼしたのが"周"でした。この王朝で中国の基礎ができあがったといっていいでしょう。

　儒家を開いた孔子は、周代の統治制度を理想としました。封建制と呼ばれています」

「封建制は聞いたことありますよ。まあ例によって聞いたことがあるだけで、その内容はイマイチよくわかんないんだけど」

「周王が地方の有力者、つまり諸侯に土地を封じて、その代わりに諸侯は軍役の義務を負いました。これが封建制の前提知識です。だけど、受験生はあんまり納得がいかなくて、世界史ってのはよくわからん科目だという印象を受けるようです」

「まさしく、そうですよ！　封建制が封土と軍役で成立しているのはわかるんだけど、じゃあなんでこんなことをするの、っていう理由や背景がわからないんですよね。なので釈然としないというか」

「当時の中国、というか世界中どこだってそうなのだけど、いろんな勢力が互いに抗争を繰り返していて、諸侯は周辺民族への対応に苦慮していました。軍事費もかかるし兵隊だって消耗する。

　だから有力者たちは王の権威の傘を借りることにしたのです。周王から封土を受けたとなると、周りの勢力は簡単に手を出すことができません。もし諸侯を攻撃すれば、周王からの報復があるかもしれませんからね。"周"っていう名を聞いただけで、震えあがってしまうことでしょう」

「ん？　つまり、周王を利用したってことですか」

「そうですね、その代償に軍役が必要になります」

「マンガの例だと、ある海賊がものすごい大海賊の船長と契りを結んでその傘下に入ると、それ以降しょうもないザコはちょっかいをかけてこなくなるってことに似てますね」

「あー……、そうですね。代わりに海軍と戦うときには、戦力として駆り出されるけどね。

　周と結んで、軍事力を出しておけば、諸侯は異民族との抗争を優位に進められます。周王からすれば、王朝の領域が広がる。封建制とはお互いにウィン=ウィンのシステムだったんです」

「諸侯は領土では好き勝手できたんですか？」

「自治ってやつですね。地方の諸侯は義務さえ果たせば、領地の徴税権を保持していたから、封建制は地方分権的なシステムでした。周は、有力者によるゆるやかな連合体だったのです。しかも周王と諸侯はお互いの娘を嫁がせて血縁関係を結ぶから、この体制は強固なものになりました」

「でもこの体制って、周王の権威が失墜しちゃうと崩壊しますよね……」

「そうなんですよ。周の都が異民族の侵入で陥落すると、王の権威が揺らぎ、前8世紀に春秋時代がはじまります。この時代の諸侯はまだ"周王を助けて蛮族を追い出すぞ！"と叫びながら周をたてようとし、王に次ぐ覇者を巡って諸侯が争いました。尊王攘夷っていいます。

　そういう状態が何百年もつづくと、"周王ってもう諸侯と同じみたいなもんじゃない？"という雰囲気になって、前403年からついに戦国時代となりました。周王の権威が喪失し、次の王位を巡って競いあう混乱時代に突入したのです」

「下剋上の乱世だ」

「有力諸侯は戦国の七雄と呼ばれ、その一つが秦でした」

図1-15　戦国の七雄

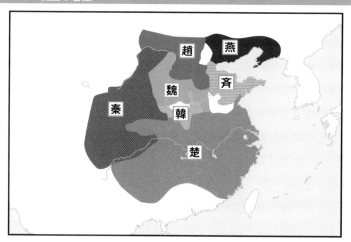

4 秦王政と中国の統一

「始皇帝の名前は、政といいます。秦の荘襄王の子とされていますが、敵国である趙に人質として差しだされて、幼少期は命の保証がない危険な日々をすごしました。母后が以前に大商人・呂不韋の愛妾であったことから、彼が本当の父だともいわれているんだけど、確かなことはわかっていません」

「なかなかすさまじい子供時代ですね……」

「13歳で秦王に即位した彼は、宰相となった呂不韋を排除し、20歳そこそこで親政をはじめます。親政とは自分で政治を進めること。

　これより100年ほど前の秦国では孝公という賢君が国内改革を行い、法による統治を進めていました。彼は法家の商鞅を登用し、郡県制を施行します。この頃から秦の国力が強大化し、秦王政にバトンが渡されました。政は若き頃に法家思想を大成した韓非の教えに影響を受け、実権を握って

からは法家の李斯を重用し、法治主義体制を目指しました。

　政は征服を進めます。七雄のほか６国を攻めたてました」

「先生、いつも思うんですけど、国家はなぜ拡大運動を進めるんですか？
足るを知るって良いコトバがありますよね。どこもかしこも領土拡大を求
める気がするんですが」

「社会システムの側面から考えると、国家はその拡大運動を止めることが
できません。とくに中央集権を進める秦は、支配領域が大きければ大きい
ほど集まる富もまた膨大だったのです。

　そこに、どれだけ政の野心が反映されていたのか、私たちは史書の記述
から想像するしかありません。それはとりまきたちの思惑なのか、はたま
た肥大化する国家の要求なのか。一つ確からしいのは、秦王政は私情を捨
てて法治主義の実践を目指したということです」

「ドライな眼を持っていたんですね」

〜〜〜〜〜〜〜〜〜〜〜〜〜〜〜〜〜〜〜〜〜〜〜〜〜〜〜〜〜〜〜〜〜〜

「前221年に政はついに斉を滅ぼし、はじめて中国を統一しました。

　諸国が王を自称する乱世を統べたワケですから、王に代わる新たな称号
が求められます。"皇帝"です。万物の宇宙神である上帝と、"ひかりかが
やく"を意味する皇があわさった称号を考案しました。子々孫々これを受
け継ぐとして、みずからを始皇帝とします」

「王の上位互換として皇帝が生まれたんですね。神格化だ」

「政が目指すは法治主義国家、このシステムを十全に機能させるために
は、王を超越する存在が必要だったのです。

　中央集権を維持するため、さまざまなカラクリをしかけます。例えば行
政や軍事、監察など、官制システムを整備しました。全国を36郡に分け
て、郡県制を完成させます。全国の度量衡の規格を統一し、貨幣や文字も
統一しました。これらはみな中央集権を能率化する施策ですね。

　全国巡幸を行い、中国各地に残る三皇五帝、神話時代の君主たちの遺跡

を訪ねて祈りを捧げました。皇帝の権威を高揚させるためです。また、壮大な宮殿・阿房宮や陵墓および兵馬俑などの大規模な土木事業を押し進めました。

　秦は北方・南方に軍事行動を起こすのだけど、対外政策としては中国に侵入する蛮族を討伐し、国内的には始皇帝の軍事力を宣伝するプロモーションの一環でもありました。また、李斯の進言によって、焚書・坑儒が行われます。法家思想に反発する儒家の書物が燃やされ、強権政治を批判した儒学者が弾圧されたことは有名ですね」

「いろいろすることがありますね。国内の行政だけじゃダメなんですね」

「数々の政策は、総じて国家体制の維持を目的としています。ということは、何も中国だけでなく、世界史のおよそすべての王朝国家では同じようなことが行われました。このことを心得ておけば、歴史の理解がより一層進むでしょう。とりわけ、郡県制という強力な中央集権を目指した秦の始皇帝にとって、国家体制の維持は至上命題、この点に神経をとがらせなければなりませんでした。つくるより保つほうがはるかに多くの労力を使うのです」

⑤ 始皇帝は何を為したのか

「晩年の始皇帝は不老不死を望み、仙薬を求めます。最後の巡遊中に病を得て、前210年に49歳で崩御しました。伝説によると不死の薬として医者が処方した水銀を服用していたといいます」

「老いると不老長寿を望むのも、古今東西また同じなんですね」

「強権は反発を生みます。始皇帝の死後、陳勝・呉広という役人が挙兵して反乱が勃発すると、各地に暴動が波及しました。ここから項羽と劉邦があらわれます。結局、前206年に政の血脈が途切れ、秦は統一から15年で滅びました」

「せっかく統一したのにすぐ滅亡しちゃうのは、始皇帝としてもなんだか

複雑ですね」

「始皇帝は暴君、傍若無人で極悪非道な君主というイメージがつきまといます。これは、次の漢代以降に儒学が国の学問になったからで、始皇帝が法家を重視して儒学を抑圧したことへの評価によるものでした。一方で、彼の時代につくられた皇帝政治のシステムは以降中国諸王朝に継承されて、清朝が滅亡するまで2000年以上つづいたのだから、画期的な改革であったことに変わりはありません」

「確かに冷徹な暴君っていうイメージがありました。でも皇帝制度が長くつづいたことを考えると、すさまじい影響力ですよね。まあそれが秦王政の求めたことなのかっていうと疑問なんだけど。法治主義を極めすぎて、むしろ逆に我を浮かびあがらせたんじゃないでしょうか。それで最後は不老不死を追い求めるようになったとか」

「おぉ、羊くん、なかなか詩的ですね。始皇帝は法家思想に魅入られます。"臣下のへつらいやごまかしを防ぐためには、法を重視せよ"というのが、韓非の教えでした。私情を排し制度を優先させることで、むしろ個人主義的な傾向が色濃く出てきたのかもしれないですね」

「始皇帝の人となりに、がぜん興味が出てきました。図書館に行って始皇帝の本をあさってみます」

第2章

中世

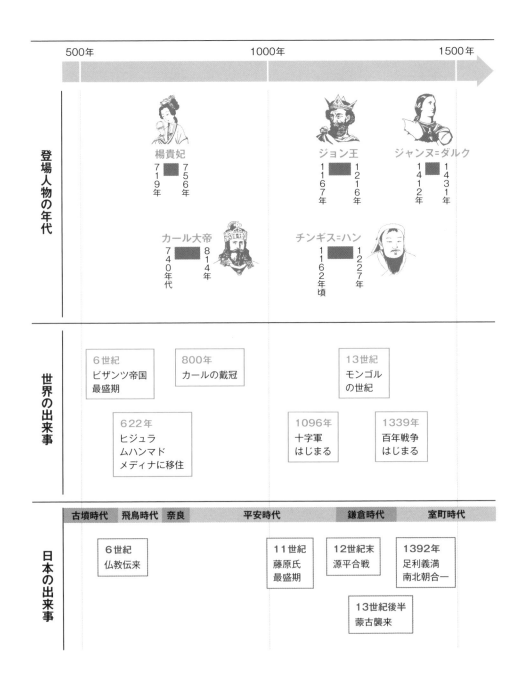

500年　　　　　　　　　　1000年　　　　　　　1500年

登場人物の年代

楊貴妃
719年　756年

カール大帝
740年代　814年

ジョン王
1167年　1216年

チンギス=ハン
1162年頃　1227年

ジャンヌ=ダルク
1412年　1431年

世界の出来事

6世紀
ビザンツ帝国
最盛期

800年
カールの戴冠

622年
ヒジュラ
ムハンマド
メディナに移住

13世紀
モンゴル
の世紀

1096年
十字軍
はじまる

1339年
百年戦争
はじまる

日本の出来事

古墳時代　飛鳥時代　奈良　　平安時代　　鎌倉時代　　室町時代

6世紀
仏教伝来

11世紀
藤原氏
最盛期

12世紀末
源平合戦

1392年
足利義満
南北朝合一

13世紀後半
蒙古襲来

第2章 中世

楊貴妃

玄宗に見初められた、傾国の美女！

道しるべ

● 中国皇帝にはなぜお妃さまが多いのか押さえよう
● 玄宗の治世を前半と後半でまとめてみよう
● 楊貴妃の登場で唐はどのような状況に陥ったのだろうか

「今回は楊貴妃を取りあげましょう！　傾国の美女で、クレオパトラ、小野小町とともに世界三大美人にあげられます」

「眉唾ものです」

「うぅ……。これ言ってるの日本だけじゃないかな。世界的には楊貴妃、クレオパトラとギリシア神話の女神ヘレネー」

「楊貴妃って唐の玄宗がくびったけになっちゃって、それで財政が崩壊するわ、安史の乱が起こるわ、衰退の原因になったんですよね」

「うわー、イルカさん、くびったけってまた古風ないいまわし……。

　だいたいその通りなんだけど、もう少し前後関係をお話しさせてください」

❶ 帝の妻たち

「ところで先生、貴妃ってどういう意味ですか？　名前ではないですよね」

「皇后に次ぐ皇帝夫人の称号です。中国皇帝にはたくさんの妻がいましたからね」

「君主が多妻であるのはどこの地域にも見られるじゃないですか。でも中国っていうと、お后さまが権限を握ったり、皇后の一族……外戚ですよね、彼らが政治で重用されて横暴なふるまいをすることが多いイメージです」

第1章 古代

第2章 中世

第3章 近世

第4章 近現代

67

「君主の妻や愛人が政治に介入することって、わりとどこの地域でも見られますよ。例えばフランスのブルボン朝では、ルイ15世の愛妾ポンパドゥール夫人が政治を牛耳っていました。

　中国の場合は、古代からつづく社会システムにその背景を求めることができるでしょう。黄河や長江周辺の豊かな穀倉地帯を抱いた中国は人口密度が高く、都市国家の邑は一つの氏族、つまり同じ血統の人々で構成されました。宗族といいます。中国ではこの概念がとっても重要で、今でも家族という共同体を大切にします」

「家族道徳が大事なんですよね。儒家を開いた孔子の教えだったかな」

「そうそう、儒家思想の"仁"ってやつですね。

　孔子は周代の政治を理想としました。古代中国でも都市が互いに抗争をしていたんだけれど、ケンカばかりしていると社会が疲弊してしまいますよね。そこで平和を維持するなんらかのカラクリが必要になったので、血縁関係を結んで、安全保障を進めました。指導者たちは互いに娘を嫁がせあって、親戚となります。これは一種の人質みたいなもので、親族になったんだからなるべく抗争は避けようと考えるんです」

図2-1　邑と血縁関係

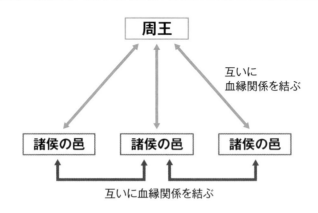

「血縁関係って、周王と諸侯の間でも結ばれたんですよね」

「その通り。秦の統一以降の中国でも同じです。各地から皇帝に嫁いでき

たお妃が都の宮中に集まりました。彼女たちは半ば政略的に中央へ派遣されるのだけど、もし皇帝の寵愛を得られたならば一族の繁栄が約束されたも同然。だから宮中での立場や人間関係に敏感で、のしあがることに躍起になったんです」

 ## ② 玄宗と楊貴妃

「楊貴妃の本名は楊玉環といいます。現在の四川の出身。719年の生まれだから、今から1300年くらい前の人物です。没落貴族の出身だといわれていますが、出自はよくわかっていません。早くに父母を亡くし、叔父に育てられました。豊麗な美女に成長すると、その噂は都の長安まで伝わったといいます」

「豊麗な美女……、そこはもうちょっと詳しく説明してください」

「う……そうですね、楊貴妃は持ち前の美貌にくわえて、舞踊や音楽の才能がありました。それは上手に琵琶を奏でたそうです。あとは教養ですね。気品にあふれて話もうまかったし、しかも聞き上手だったんです」

「今はやりの傾聴ですね」

「当時の玄宗には皇后との間に寿王という息子がいたんだけど、楊貴妃ははじめ彼の妻として宮中に迎えられます。通常は変な気をおこしては大変ですから、皇帝とその息子であってもなるべくお互いの妻を見せないようにします。けれどもなんやかんやで目に入ってしまったのでしょう。楊貴妃は玄宗に見初められてしまいました」

「え、それってまずくないですか？　息子の妻を奪うってことですよね」

「儒教的に問題なので、一度道教の女道士とされてからのちに玄宗の後宮へ入って、皇后と同じ待遇を受けました。それはさすがにダメだろう！って感じだけど、まあ形式的に大丈夫だったようです。745年のことで、楊貴妃26歳、玄宗は60歳でした」

「年の差カップルだ」

「それから二人の愛と自堕落の生活がはじまります」

「なんだか詩的な表現ですね……」

「むむっ。楊貴妃は玄宗の寵愛を一身に受けました。玄宗は長安近郊の温泉地で彼女をはべらせて遊び、玄宗が外出するときは馬に乗って付き従ったそうです。

　官僚たちは楊貴妃の意にかなうように奔走し、ご機嫌をうかがいました。ライチが好物だったので、早馬で南方から届けさせたという逸話も残っています。

　また楊家の一族はみな高位の官職に就きました。又従兄の楊国忠はついに宰相まで昇りつめます」

「外戚の専横ってやつですね」

「そうして玄宗は政治に興味をなくしてしまいました。色に溺れて遊び呆けます。唐はそれまでの玄宗の治世で安定していたのだけど、放蕩がために国政が大いに乱れることとなったのです」

 3 善政とは、悪政とは

「玄宗ってはじめは有能な君主として、唐の全盛期を築いたんですよね」

「えぇ、そうです。7世紀の太宗の治世に並ぶほどの繁栄期を迎えました。

　イルカさん、政治が混乱したというのは、いったい何を意味するのでしょうか」

「先生、得意の定義を聞く質問ですね」

「何気なく使われているよくわからない表現は、一つひとつ潰していきましょう」

「うーん、政治とは富の集約と分配でいいんですよね。もちろんほかにも

機能があるんだろうけど、わかりやすくこの作用だけを取りあげると……。

政治の混乱って富の集約と分配がうまくいっていないことなんですか？」

「いやぁ、その通り。この原理をしっかり覚えておいてくださいね。

本来なら民衆から集めた租税は、過不足なく国家運営に用いなければなりません。これは軍事費に、これは農業、このくらいは土木事業に必要だなぁ、官僚の人件費はこれで、という感じで、絶妙なバランス感覚が重要なんですね。

しかし、政治の乱れは“集約と分配の機能不全”を起こします。玄宗は楊貴妃との享楽に富を注ぎました。宮廷の浪費というやつです。玄宗の遊びに資金が流れていくと、軍事費や土木事業に富が行き届かなくなり、混乱がそこかしこにあらわれるんです」

「なるほど。教科書に“政治が混乱した”みたいな表現があったら、まずはこのセオリーを思い浮かべるようにします」

「兵力は削られ、都市のあちこちがいたみ、耕地は荒れていきました。集まる税が目減りすると分配がうまくいかず、経済は停滞して悪循環に陥ります。こうして国が傾いてしまいました。

また外戚の楊家一族が権限を握りましたね。彼らは国家を食い物にして、一族の繁栄ばかりを追い求めます。結果、富のポンプである政治機能が弱ってしまうのです」

 4 安史の乱

「唐の状況をまとめてみましょう。やりたい放題の楊家や政治を顧みない玄宗に対し、人々の不満は高まるばかり。一方、唐の周辺地域には節度使と呼ばれる軍人が派遣され、統治を担っていました。イルカさん、軍隊が地方統治を進めるとどうなりますか？」

「軍事力を背景に徴税権をふるって自立しようとしますね。帝政ローマでは各地の軍人が台頭し、帝国が分裂したと習いました。

　でも、唐はもともと周辺民族の自治を容認しながら政府機関がこれを監督していましたよね」

「都護府ですね。周辺の少数民族を監視して、間接統治を行っていました。けれど、唐が傾くと、戸籍にもとづいた徴兵システムが維持できなくなり、都護府の運用が難しくなってきたんです。そこで玄宗の頃に傭兵を利用しだしたんですよね。募兵制といいます。傭兵軍団を率いたのが節度使で、彼らが各地に派遣されると勢力を拡大し、中央政府への発言力を強めました。

　節度使の一人である安禄山が、755年に部下の史思明とともに挙兵します」

「安史の乱ですね」

「楊貴妃一族の打倒が目的の一つに掲げられたのです。

　反乱軍が長安を包囲すると、玄宗は楊貴妃を連れて四川への逃亡をはかりました。その途上で楊国忠らの楊家一族が唐軍に殺害されると、玄宗のとりまきたちは反乱の元凶である楊貴妃の処分を帝に懇願します」

「まあそうなりますよね。楊貴妃が出てきたおかげで唐はめちゃくちゃになったんだから。でも彼女を寵愛したのは玄宗だし、ちょっとスケープゴート感はありますよね」

「はじめは妃をかばっていた玄宗でしたが、もはや観念しました。やむなく彼女に自死を請います。こうして756年、楊貴妃は37歳の若さで人生を終えたのです」

5 唐の斜陽

「安史の乱はその後どうなったんでしょうか」

「やがて双方で内紛が生じて、混乱のままに終わります。

　動乱は中国各地におよんだから、農地が荒れ果ててしまいました。それまでの唐では、政府が農民に土地を給付して穀物やらを税として集めていたのですが、安史の乱で徴税システムが決定的にダメになってしまって、財政が回らなくなります。ついで軍が弱体化すると各地の節度使が自立し、唐の分裂が進みました。それでもいろいろと制度を変更して王朝は延命しますが、国を立て直すことができずに少しずつ衰退していったんです。また反乱鎮圧のため北方遊牧民の力を借りたんだけど、以降は彼らの介入に悩まされました」

「なるほど、楊貴妃の登場から唐は下り坂まっしぐらなんですね。でもこれって、楊貴妃のせいなのでしょうか」

「ポイントはそこなんですよ。楊貴妃の登場前後で、唐はすでに問題を抱えていたんです。

　楊貴妃に出会う前の玄宗は賢君でした。その統治は"開元の治"とうたわれ唐は最盛期を迎えるのだけど、増えすぎた人口に農業生産が追いつかず、農地に支えられた租税・軍事システムが維持できなくなってしまいます」

「全盛期に衰退のきざしが見られるのは、古今東西みな同じなんですね」

「その矛盾が明らかになったのが安史の乱でした。楊貴妃はただそのトリガーになっただけの気がしてやまないのです」

「先生、ものすごくポエムっぽい表現です……」

「ぐっ……！」

「楊貴妃には宮中で昇りつめる野心はあったのかな。

　それとも運命にもてあそばれただけ？」

「解釈はまちまちですね。

　楊貴妃と玄宗の物語は、後世さまざまな作品として伝えられていますが、とくに白居易の『長恨歌』は二人の愛と悲哀をうたった長編詩として名高く、『源氏物語』を書いた紫式部にも影響を与えました。

　楊貴妃の魂が仙界にいたってのち、玄宗にことづてする最後の４句を付

しておきます」

在天願作比翼鳥　　在地願為連理枝
天長地久有時尽　　此恨綿綿無絶期

天にあっては、願わくは比翼の鳥となりたい
地にあっては、願わくは連理の枝となりたい
天地はいつまでも変わらないけれど、いつかは尽きるときがある
この悲しみは綿々と、いつまでも絶えることがないだろう

図2-2　玄宗と楊貴妃

提供：Alamy/アフロ

カール大帝

教皇からローマ帝冠を授かった！

道しるべ

- ◎ フランク王国の発展を理解しよう
- ◎ カールはどの地域を征服したのだろうか
- ◎ カールの戴冠の歴史的意義を理解しよう

「今回はカール大帝です。聞き手は羊くんです」

「"カールの戴冠"で有名ですね。世界史を選択してない理系の友人も知っていました」

「そうでしょう、そうでしょう。教科を飛び越えるカールなんです！

　彼がなぜそこまで有名になったのか、歴史の原理を織り込みながらお話ししましょう」

 ## 1 ゲルマン人の大移動

「羊くん、カール大帝はいつの時代の人ですか？」

「はい、それを学びに来ました！」

「ぐっ…、返答がこなれてきましたね。それでは歴史区分でいうと、いつくらいでしょうか？」

「古代はローマ帝国の滅亡で終わりましたよね。……てことは中世かな」

「そうですね、古代とか中世っていう区分は便宜的なものなので、まあそこまで厳密に分けなくてもいいんですが、カールは西欧のカテゴリーで中世の人物です。

　古代ローマの衰退でヨーロッパの勢力図が変わりました。ゲルマン人の大移動がはじまります」

「ゲルマン人の大移動も有名な出来事ですよね。いつからはじまったんでしょうか」

「4世紀です。日本ではヤマト政権が徐々に勢力を拡大していた頃。フン人とよばれる遊牧民の進出でゲルマン一派の東ゴート人が圧迫されると、それに押しだされて西ゴート人が375年に移動をはじめ、ローマ帝国領内に押し寄せました」

図2-3　ゲルマン人の大移動の様子

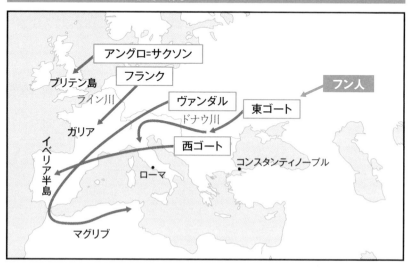

「まるでおしくらまんじゅうですね」

「このためローマ帝国は395年に東西分裂してしまったのだけれど、それからもずっとゲルマン人の活動がつづいて、さらには遊牧民フン人までやってきました。結局、476年に西ローマ帝国はあっさり滅亡します」

「フン人によって滅びたんですか？」

「いえ、西ローマ帝国はフン人をなんとか追い返したのだけれど、そのときにゲルマン人の協力を仰いだんですね。そうして台頭したゲルマン人の軍隊によって、滅ぼされてしまったんです。

　西ヨーロッパには統一された政治権力はもはや存在せず、実力者が割拠する分裂時代となりました。ただ残ったのは、キリスト教の信仰だけでした」

② フランク王国とアタナシウス派

「ゲルマン人の大移動の話をしたってことは……、カール大帝はゲルマン人なんですね」

「そう、彼はフランク王国の君主です。

　ゲルマン系フランク人はフランス北中部、ガリアに拠点を定めました。481年にフランク王国が建てられます。もともとローマの属州であったガリアにはローマ人が住んでいたのだけれど、ローマ帝国は分裂直前にキリスト教を国教としたから、彼らはみな正統教義のアタナシウス派を信仰していました。

　そこへ、フランク人がやってきます。ゲルマン人の多くはキリスト教アリウス派か土着の多神教を信仰していました」

「住民と支配者が別の宗派ってことですか。どう考えたっていさかいが起こりますよ」

「とくに国家の運営に支障が出ました。支配領域で政治をスムーズにマネジメントするため、ぼくたちは文書で命令を伝えますよね。文字を操れるのは神官や司祭だから、ローマ帝国末期にはキリスト教アタナシウス派の聖職者がその役割を担っていました」

「えっと、つまり宗教組織が政治機関だったんですか？」

「そうそう、世界史では宗教組織が税務署のように扱われます。ローマ帝国がキリスト教を公認し国家宗教とした背景には、多分に政治的な動機がありました」

「なんかドライな話だなぁ」

「ガリア支配を進めるフランク人は、そこに根付いた宗教の政治機能を利用することにします。国王クローヴィスはアタナシウス派に改宗しました」

「そういえば、聖徳太子も仏教の理屈を使いましたよね。篤く三宝を敬えーって」

「おぉ、羊くんよく覚えてましたね。

　政治が宗教の機能を使う例は、枚挙にいとまがありませんよね。

　フランク王国はローマ＝カトリック教会が是とするアタナシウス派の信仰に寄りそって、国家運営を進めていくんです」

3 カロリング朝とカトリック教会

「このフランク王国、はじめはメロヴィング朝でした。羊くん、"○○朝"というコトバを聞いたことはありませんか？」

「あります！　○○朝が成立した〜ってね。

　まあでも"朝"って漢字が何を意味するのかは、さっぱりわかりません。これまでコトバの定義を知らずになんとなく使っていました……」

「正直でいいですね。王朝とは国王の家柄のことです。初代国王クローヴィスはメロヴィング家だから、フランク王国メロヴィング朝」

「なるほど、なるほど。アケメネス朝ペルシアとかササン朝とか、いったいなんのことなんだろうと、ちょーっとだけ思ってたんですが、家柄のことだったんですね」

「アケメネス朝が王朝の名で、ペルシア帝国は国号、国の名前です。

　どこの世界でもだいたい国王位は世襲で、王の息子が次の王になるんだけど、国家の管理・運営には先代王の血統がとっても大切で、"この前の王の血筋だから、納税も徴兵もまあ仕方ないよなぁ"と、一般大衆に思わせる正当性が必要でした。

　けれど今回のカール大帝は、カロリング朝の君主です。ちょっとややこしいのだけれど、ここはカールの戴冠に関わってくる大事なところなので、もう少しおつきあいください」

「8世紀に入ると、メロヴィング朝は国王の権威がずいぶんと低下してし

まい、宮宰<ruby>宮宰<rt>きゅうさい</rt></ruby>が権限をもつようになりました。宮宰は総理大臣みたいな役職のことです」

「鎌倉時代に将軍をさしおいて実権を握った執権の北条氏に似てますね」

「その通り！　その頃はイスラーム教の勢力が聖戦ジハードを進めていて、北アフリカからイベリア半島を経て、ガリアに侵入してきました。これを撃退したのが宮宰カール＝マルテルです。その名声は国王をしのぐようになりました。それで、マルテルの息子ピピンは751年に即位してカロリング朝を開いたんです」

「メロヴィング朝からカロリング朝に変わったんだ」

「けれども血統の正当性を考えたら、王朝が交替してしまうと混乱が起こるのは当然の話ですよね。"今の国王はいったいどこの誰？　なぜ税を払わないといけないの？"って民衆が感じたら、徴税も徴兵もままなりません」

「確かに、突然世界史の先生が変わったら"鳩先生は!?"ってなりますよね」

「そう、そうでしょう！　そこでピピンは、ローマ教皇から国王即位の承認を得ました。宗教権威による権限の授与です。"フランク王国のカロリング朝は正当である"と、カトリック教会のトップからお墨付きをもらったのです」

「"ローマ教皇がそう言うなら、徴税もまあしかたないよなぁ"って感じかな」

「そうやってピピンは政治を機能させました。

　そして政治の世界はギブ＆テイク。ピピンは征服した領土を返礼としてローマ教皇に献上します。当時のカトリック教会は東方のギリシア正教会に対抗するため、フランク王国という強力な政治・軍事力を欲していましたから、お互い持ちつ持たれつのあいだがらになったのです」

「……ギリシア正教会？」

「じつはこの頃キリスト教は東西に分裂していて、西のローマ＝カトリック教会に対して東のギリシア正教会が勢力的に強かったんですね。だから

カトリックは強大な軍事力を持つ国家の保護を求めたんです。ここに、フランク王国とカトリック教会による蜜月の関係が形づくられました」

「なるほど。天皇が東国の武士を味方につけた感じですね」

「羊くん、日本史に詳しいじゃないですか」

❹ カール大帝の生涯

「カールは、ピピンの長男として生まれました。740年代の生年といわれますが、よくわかっていません。768年に父のピピンが死去すると、弟カールマンと共同統治者となります。弟王とは馬があわなくて対立したのだけど、771年に死んでしまったから、カールがフランク王国全土の支配を確立しました」

「わりとすぐに実権を握ったんですね」

「以降、カールは征服活動を進めました。彼の46年間の在位中に、なんと53回も出征します。在位の大半を遠征に費やしました。国家の領土拡大は歴史の必然です。現在のように主権国家が領土を取り決めて勢力均衡をはかっているのならいざ知らず、当時はまだゲルマン人をはじめ、いろんな勢力が各地に割拠している状況だから、彼らを制圧して領土が大きくなればなるほど、支配領域から富が集まってきました。カール大帝の指導力はもとより、とりまきの聖職者や軍人の意向もあったのでしょう。王国はカールの時期に空前の膨張を見せたのです」

「世界史の原理なんですね」

「まずドイツ北部のザクセン地方を征服します。教皇の要請を受けて、イタリアを拠点としたランゴバルド王国を滅ぼしました。そしてイベリア半島からイスラーム勢力を駆逐します。中央ヨーロッパで活動した遊牧民アヴァール人を撃退して、領土に加えました。だいたい、今のスペインからフランス、イタリア、ドイツのあたりまでです。彼の拡大運動は、ぜひ地図（図２-４）で大きさをイメージしてみてくださいね」

図2-4　カールの支配領域

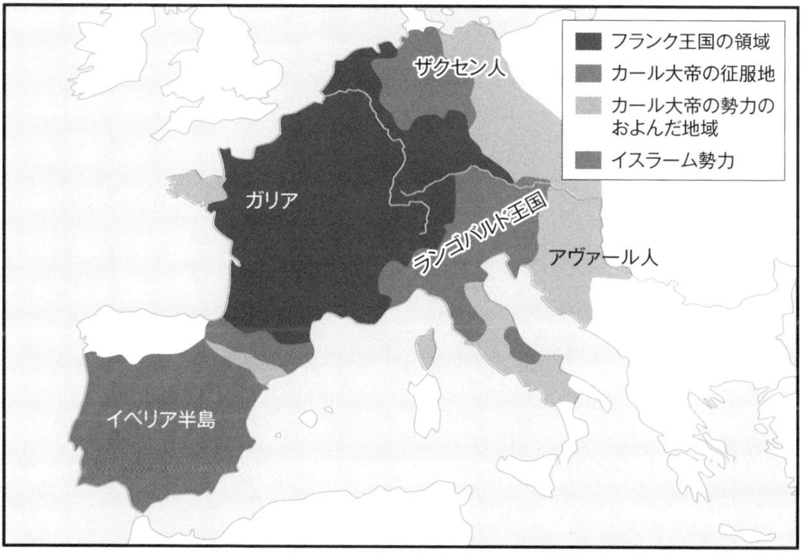
フランク王国の領域
カール大帝の征服地
カール大帝の勢力のおよんだ地域
イスラーム勢力
ザクセン人
ガリア
ランゴバルド王国
アヴァール人
イベリア半島

「国内政治では、カールは全国を州に分けて、有力豪族を“伯”に任命し、統治にあたらせました。中国史でいう郡県制みたいな中央集権制度です。彼は各地に巡察使を派遣し、地方官の伯がきちんと政治を行っているかどうかを監視しました。国内行政を引き締めたんですね。カール自身も頻繁に国内を視察したんですよ」

「地方の伯や聖職者は気が抜けませんね。ぼく、この前予備校の自習室でグースカ寝てたら、巡察使みたいな人にたたき起こされました」

「カールが来なくて良かったですね。

　彼は学問・芸術・教育にも力を入れました。各地から高名な学者を宮廷に招き、典礼様式をまとめさせました」

「先生、教科書には“最盛期の○○の時代には文化が発達して～”なんてフレーズをよく聞きますが、これってぼんやりした表現で、いったい何を言ってるのか心に響かないんですが」

「いやー羊くん、言いたいことはわかりますよ。なんだかふわっとした印象ですよね。そういうときは原理に立ち返りましょう。

　この時代は宗教組織が税務署の役割を果たしていましたよね。このため、カールが教会をきちんと整備してキリスト教の儀礼をまとめたら、税務処理がスムーズに進むのです。

　受験生の苦手分野〝文化史〟は政治的側面から紐解くとわかりやすくなりますよ」

5 そして戴冠へ

「西暦800年12月25日のクリスマスの日、カールは教皇レオ3世からローマ皇帝の冠を授かりました。世にいう〝カールの戴冠〟です。カトリックの総本山であるサン゠ピエトロ大聖堂でお祈りをしていたカールの頭上に、教皇がそっと帝冠を載せたのです。ドッキリ大成功！っぽくこの逸話は伝えられているのですが、世界史ではとっても意義のある出来事でした」
「カールがあんまり活躍するから、教皇が彼を取り込んだってことか」
「単刀直入に言うとそうですね。

　西ローマ帝国がゲルマン人によって滅亡して以降、混乱した西ヨーロッパ社会。そのゲルマン人のカールに、ローマ教皇という宗教の第一人者が、ローマ帝国の伝統ある帝冠を授けます。ここにゲルマン・カトリック・ローマ帝国が融合する、西欧社会の基礎が確立しました。私たちが〝ヨーロッパ〟とイメージするものが固まったと考えていいでしょう」
「ものすごく大切な出来事ですね。西暦800年ってのもなんとなくインパクトがあります。

　鎌倉の将軍に対して天皇が征夷大将軍の地位を与えたことと似ていませんか」
「そう、そうです！　宗教権威による政治権力への正当性の授与は歴史上しばしば見られる、ということは先だってお話ししましたが、この構造は

世界史の法則の一つですから、ほかにもあてはめてみてください。とくにカールの戴冠は、ローマ帝国という大国が滅亡したヨーロッパ世界に、あらたな秩序を与えるものとなりました。

　しかし羊くん、日本史が得意なんですか？」

〰〰〰〰〰〰〰〰〰〰〰〰〰〰〰〰〰〰〰〰〰〰〰〰

「それで、西欧世界ってカールの戴冠によって安定したんですよね？」

「うーん、じつはそうでもなかったんです。カールが70歳過ぎで没すると、王国は衰退期に入ります。フランクの慣例によって王国はカールの孫の代に３分割されちゃいました。ここにフランス・イタリア・ドイツの原型がつくられるんだけど、以降のヨーロッパは分裂状態をつづけながら、紆余曲折の歴史があとにつづきます」

「カールの人となりはどんな感じだったのかなぁ」

「伝えられる話によると、カールは小太りの長身で髪は銀色、好物は焼肉で、文字は書けなかったのだけれど夜な夜な自分のサインを練習していたようです。また、動物の飼育に熱中したのだとか。

　今回はフランク王国やカトリック教会の歴史、世界史の法則を考えながら、カール大帝の人物像に迫りました。彼の行った事業や戴冠がいかに重要であったか、なんとなくは理解できますよね」

「でも、それが人間カールの本当の姿だったんでしょうか」

「そうなんですよね。世界史を学んでいるといつもそんな思いを抱いてしまいます。誰だってそうなんだけど、本人自身と業績にはなんとなく乖離があるんです。

　ぼくが教えられるのはここまで。もし羊くんがカール大帝のことをもっと知りたくなって、少しばかり専門的な本を手に取ってみようかなと考えたなら、それはぼくの本望なんです。そのとき、今一緒に学んだこと、歴史の原理をあてはめてみると、世界史の文脈でどうなのかがわかり、きっと役に立つでしょう」

ジョン王

マグナ=カルタを承認した欠地王！

道しるべ

◉ ジョン王即位の経過を知ろう
◉ ジョン王はなぜマグナ=カルタをつきつけられたのだろうか
◉ マグナ=カルタの歴史的な意義を確認しよう

「今回はジョン王を取りあげます」

「世界史に登場する人物ってその多くが偉人、アレクサンドロスやカエサルみたいな英傑ですよね。とてつもないことを成し遂げた、人類の代表選手ばかりです。

　だけど、ジョン王はダメな君主の典型例ですよね」

「イルカさん……。まあそうなんだけど、切れ味するどい……」

「いわゆる暗君、愚王、能なし。辞典をひいてみると"嘘つき、利己的、残虐、思慮にかける"など、だいたいひどいことを書かれてますよ。ちょっと気の毒になってきた」

「世界史の講義でも"ダメなやつでなぁ……"と教えているんですが、いつも罪悪感が残るんですよ」

「本人のことをよく知らないのに悪く言うのは、なんだかフェアじゃないですよね」

「そこで今回は英王ジョンをできるだけ公平に評価するべく、一肌脱いでみようじゃありませんか。本当にダメなやつだったのか、はたまた汚名返上なるのか、ジョン王の運命やいかに！」

「うーん、あんまり期待できないけど、がんばれジョン」

１ ブリテン島の歴史

「ジョン王の話に入る前に、イギリスの歴史を紐解いていきましょう。日本と同じ島国ですし、なんとなく歴史の段階も似通っているんですよ」

「日本は大陸から農耕文化が入ってくるんですよね。イギリスも大陸から文化を取り入れたんですか」

「えぇ、古代ローマから影響を受けたんです。

　イギリスがあるブリテン島にはもともとケルト人が住んでいましたが、１世紀頃にローマ帝国の属州となってラテン人が入植します。それでローマ風の都市が各地につくられました」

「ロンドンもローマ人によってつくられた街ですよね」

「ロンディニウムってやつですね。

　帝国滅亡後はゲルマン人の大移動のあおりをもろに食らってしまって、ゲルマン系のアングロ＝サクソン人が島に到来し、ケルト人を押しのけました。アングル人、アングランドということで、これはイングランドの語源となります」

「イギリスとイングランドは、同じと考えていいでしょうか」

「うーん、そこはややこしいので、とりあえずここではイギリス＝イングランドと考えておいてください。

　５世紀にはアングロ＝サクソン人たちはいくつかの国に分裂していたんだけど、やっと統一できたと思ったら、今度はユトランド半島、今のデンマークからデーン人というノルマン系の民族が侵入してきて、抗争を繰り広げました。これが数百年つづいたんだけど、結局はフランス北部のノルマンディー公国に征服され、11世紀にノルマン朝が成立します」

「えーっと、複雑ですね」

「地図（次ページ、図２-５）で確認してみてください」

「これって一見いろんな民族に"征服"されたように見えるんだけど、実際には同化ですよね」

「そう、そうです。日本だって、土着の縄文人と大陸から農耕をもたらした弥生人が同化し、その後に渡来人がやってきて、という感じで国が形づくられましたね。民族も文化もどんどん融合していったのは、ブリテン島の歴史も通ずるところがあります」

図2-5　ブリテン島への民族移動の様子

8世紀より
激しく抗争

デーン人

アングロ=サクソン

ノルマンディー公国

11世紀ノルマン=コンクェスト
ノルマンディー公国の征服により
ノルマン朝が成立

「イングランドがノルマンディー公国に征服されたことを、"ノルマン=コンクェスト"、つまりノルマン人の征服といいます。このノルマンディー公国は、フランク王国から公国と名乗ることを認められた、いわばフランス王家の家臣でした。それがブリテン島に上陸しイングランド王を名乗ったのです」

「つまりフランスの部下なのに地位は国王ってことですよね。イングランドとフランスの関係がなんだか険悪になりそう」

「フランス王からすると気分がいいワケはありませんよね。しかも、イングランド王はフランス北部に領土を持っている状態です。このため、イギリスとフランスは激しく対立することになるんです」

2 プランタジネット朝と十字軍

「12世紀には王朝が変わって、イングランドはプランタジネット朝になったんですよね」

「そう。ノルマン朝の家柄が途絶えてしまうと、血縁関係にあるアンジュー伯のアンリがイングランド国王に即位しました。これがプランタジネット朝。アンジュー伯っていうのはフランス諸侯の一つで、フランス王の家臣です。

アンジュー伯はフランス西部に広大な領地を所有しているから、ますますイギリスとフランスの関係が悪くなりました。地図（図2-6）で確認してみましょう。

ここでちょっと時代的なお話を。西暦1000年頃から気候が温暖になって、西ヨーロッパの中世社会が安定しはじめます」

「この頃に農耕生産が安定したと習いました」

「そうです、西欧社会が拡大をはじめるんです。その一環として十字軍が派遣されました。十字軍はカトリック教会にとっての聖地イェルサレム奪還のための軍

図2-6　イギリスとフランスの関係図

イングランド王国

アンジュー伯がイングランド王に即位

アンジュー伯

●パリ

フランス王国

事遠征なのだけれど、その背景には有力者の領土的野心が見え隠れしています。

それまでのイギリスやフランスでは封建体制が色濃くて、社会は有力諸侯や教会勢力が各地で自立している分裂状態でした。しかし十字軍がはじ

まると、国王を中心に軍を編成したから……」

「国王の権限があがったんですね。私、入試で論述があるので準備してるんですけど、十字軍による影響はとにかく頻出テーマなんです」

「なかなかよい準備を進めていますね。ジョンが即位した1199年はちょうど十字軍の真っ最中で、国王と諸侯のパワーバランスに変化が生じた過渡期だったのです」

 ### **3** ジョン王の生涯

「ジョンは、プランタジネット朝初代君主の末子として生を享けました。兄たちは大陸フランスに王領が与えられたのにもかかわらず、ジョンだけは領土がなかったため、欠地王というあだ名がついてしまいます」

「分与地の問題はどうしようもないので、ちょっとかわいそうですね」

「なお、兄は獅子心王リチャード１世。十字軍ではイスラーム世界の英雄サラディンと死闘を繰り広げたことが有名です。一方のジョンはというと、十字軍で兄の留守中に即位を企てて、帰宅後のリチャードにしこたま怒られました」

「うーん、分が悪いぞ……ジョン」

「兄が死去すると、今度は陰謀によって王に即位するのですが、イングランドに介入をはかるフランス王との関係が悪くなってしまいました。

　さきほどお話しした通り、英王はもともとフランスの家臣。ジョンも国王に即位すると大陸の領土を継承しましたが、これに反発した仏王フィリップ２世と戦争状態になります。1214年頃にはジョンの敗勢が明らかとなり、彼はフランスにある英領をほとんど失ってしまいました」

「まさに"欠地王"じゃないですか」

「イルカさん、膨れ上がる戦費をどのようにまかなえばいいでしょうか？」

「課税です。世界史の常套手段ですよね」

「ズバッと答えましたね……。"そんなのダメ！"って声がどっかから聞こえてきそうなんですが。

　当時は教会が税務署の役割を果たしていましたから、管区のトップである司教にジョンの息のかかった人物をつけることができれば、税収アップは待ったなしです」

「でも、司教の任命権はローマ教皇にありますよね」

「そうです。ジョンはさっそくカンタベリ司教の任命権を主張しますが、教皇権の絶頂にあったインノケンティウス3世と対立してしまいます。結局、教皇から破門を受けたジョンは、賠償金を支払って許してもらいました」

「ジョン、負けないで……」

 ## 4 マグナ＝カルタと王権

「ジョンは一発逆転、大規模な遠征を企てて、さらなる戦費調達で今度は聖職者・貴族勢力への課税を繰り返しました。支配者階層は富を蓄えていますからね。

　ここで質問。悪政とは、いったいなんのことでしょうか」

「悪政っていうと、民衆を不当に抑えつける政治のことですか？　今は人民に主権がありますからね。でも先生のことだから、もうちょっと原理的な話をしたいんでしょう？」

「うぅ……、ばれてる。

　政治の原理とは、どこまでいっても富の集約と分配です。ですから、悪政とは"集約"か"分配"のいずれかに、もしくは両方に不備が生じることと考えて差しつかえありません」

「いきすぎた課税はバランスを欠いている、したがって悪政ということですね」

「ジョンへの反発が生じることは、火を見るより明らかでした。度重なる王の課税に貴族や聖職者の逆襲がはじまります。

ジョンを見限った有力者は挙兵してロンドンを陥落させると、国王に種々の要求をつきつけました。勝手な課税は禁止、違法な拘束は禁止などです。大憲章、マグナ＝カルタってやつですね。1215年、ジョンはこの文書に署名しました」

5 ジョン王の評価

「マグナ＝カルタの承認は立憲君主政のはしりとされていて、イギリスの憲法的な役割を果たしています。現在、世界各地で施行されている法治主義や議会制度は、この文書が由来といっても過言ではありません」

「以降の世界のモデルになったって……、ものすごく意義のある文書なんですね」

「ジョンはその後、王権を制限するマグナ＝カルタをよく思わなかったのでしょう。これを廃止するため、外国人の傭兵部隊を雇い貴族と抗争しました。その内乱の最中に、悪くなったリンゴ酒にあたって彼は臨終のときを迎えます。そうして英国史上もっとも人気のない国王は、49歳で没しました」

「あれ、先生。マグナ＝カルタって憲法の起源と考えていいんですよね。ということは、憲法ってもともとは国王の権力を制限するものなんですか？なんとなく私たちの権利を保障するものってイメージだったんですが」

「それはフランス人権宣言の影響が強く出てますね。マグナ＝カルタも裏を返せば聖職者や貴族の諸権利を確認する文書でしたが、その多くは王権を制限する内容でした。その辺は相関関係にあります。憲法は原理的に為政者の権限を抑制するものと考えてください」

「ジョンの評判はこれまでお話しした通り、生前から芳しくありませんでした。彼が死亡した直後の年代記には、"無能、ほら吹き、軟弱、卑劣で

癇癪もち"と記されます」

「今ならコンプライアンスに引っかかって訴えられますね」

「その評価が固まって、後世に残っている感があります。実際に、現代の研究者にはジョンを再評価する向きもあって、例えば近代主権国家につながる常備軍を組織したとか、スコットランドやアイルランド征服の道筋をつくった、などと主張されているんですよ」

「歴史上の人物って、評価がどの軸で行われるかによってイメージが変わってしまうことがないですか？」

「そうですね。ジョンを統治という面で評価すると、そりゃ貴族や聖職者に課税しすぎたのは完全に失政なのだけど、主権国家への移行期であることを加味すると、それほどおかしな政策でもなかったような気がします。

　しかし、なんといってもマグナ＝カルタの承認が後の世界に大きな影響を与えたことは極めてはっきりしています。この文書は、日本の国家公務員試験にだってその意義が問われるくらいなのですから、その内容と理屈がいかに重要であったかがわかりますよね。この側面でジョンを見てみると、彼の失政は重大な出来事であったのです」

「えぇっと、先生、つまりもし彼がものすごく慎重に、パワーバランスを考えて絶妙に徴税と分配を行っていたなら、もしかしたらマグナ＝カルタは生まれなかった、ってことですか？」

「もしくはもっと後世に出現することになったでしょうね。イギリスの立憲政治の確立が遅れてしまえば、議会主権の成立も遅れ、あげく産業革命も……、と"歴史のif"を考えるのはナンセンスかもしれません。けれども、ジョンが歴史に名を残した点はなんといってもその一点に尽きます」

「ということはジョンが今でも"ダメなほうの君主"とされているのは、じつはそれほど悪いことでもないのかもしれませんね。

　良かった。ジョンだって語り継がれるべき人物なのですね。ん？　ジョンを擁護するためにはじめたのに、なんだか悪いことしたような気もしてきました」

ジャンヌ=ダルク

神の啓示を受けた、百年戦争の英雄！

道しるべ

● フランスとイギリスの対立構造を知ろう

● 百年戦争の経過を確認しよう

● ジャンヌ=ダルクの登場が百年戦争に与えた影響を理解しよう

「今回はジャンヌ=ダルクですね」

「そう、羊くん、あの有名な！」

「何をした人なのかは謎ですよね。よく知らないなあ。聖女的な？」

「彼女は百年戦争におけるフランスのヒロインです。百年戦争は知ってますか？」

「はい、百年のあいだ戦争したやつですよね」

「おぉ……じつに怪しい答えだ。その土台から解説していきましょう」

1 中世の封建国家

「百年戦争って中世ですよね」

「ヨーロッパの歴史区分では、"中世"とひとことでいっても本当に長くってですね！　この年表（図2-7）を見てください」

図2-7　中世の年表

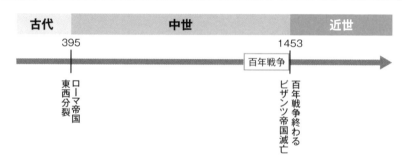

「とても長いですね。1000年以上あります」

「中世の終わりとされているのが、百年戦争終結の年なんです。1339年から1453年にかけて断続的に行われました。中世の末期なんですよね」

「百年戦争って14世紀から15世紀なんですね」

「そう、そうです！　そういう年代感覚はとっても大事ですよ。日本では室町時代のあたりです」

〜〜〜〜〜〜〜〜〜〜〜〜〜〜〜〜〜〜〜〜〜〜〜〜〜〜〜〜〜

「百年戦争は、フランスとどこが戦ったんですか？」

「イギリスです。

　フランス vs. イギリスって聞くとどんなイメージ？」

「うーん、ワールドカップみたいだ。両軍が国を背負って戦った感じ？」

「そうですよね。ぼくたちの時代だと戦争って総力戦っぽく感じますよね。でも、この頃はそうじゃなかったんです。

　中世のヨーロッパは、いやヨーロッパだけじゃなくだいたいどこだってそうなのだけど、現在のような主権国家はまだ存在していなくて、国というのはたいていバラバラの分裂状態でした。領内の有力者が各地で勝手に自治をしている、これを封建国家といいます」

「地方分権ってやつですね」

「はい、ばっちりです。そもそも現代のイギリスだって、正式名称は連合王国。この国はブリテン島全域とアイルランドの北部を領域としているんですが、当時はブリテン島中南部にしか領土がなかったんです。ここではイギリスとイングランドは同じとしましょう」

「この時代のイングランドはプランタジネット朝です。あっ、羊くん、いま顔をしかめましたね！　確かに長いカタカナの歴史用語ですよね。

　この王朝はフランス国王に臣従するアンジュー伯、まあフランス王の部

下みたいな人がイギリス王に即位して開いたんです。フランスに領地を持つ諸侯だから、イングランド王ではあるんだけどフランス領内にも領土を保持していました」

「なんでそんなことになるんですか？」

「国王が亡くなると、後継者があいまいだったり、世継ぎがいないときがあるんですよね。その場合は親戚筋から呼んできて次の国王として即位します。イングランドはそれまでノルマン朝だったんだけど、最後の王の娘がアンジュー伯に嫁いでいたから、その息子のアンリがイングランド王に即位しました」

「このときのイングランド王はフランス王の臣下で、さらにフランス領内に領土を持っていたんですね。どうしたって仲が悪くなりますよね」

「英仏の対立の根源はここにあるんです」

 ## ② 百年戦争がはじまった

「ところで、なんで戦争って起こるんですか？」

「領土問題です」

「ひとこと！」

「国家の機能は、富の集約と分配でしたね。このセオリーにしたがうと、各国の支配者層は領土を広げることによって徴税できる領域を広げることができます。プールできる富が増えるわけです。

　このため国家は領土の膨張を止めることができないのですが……、戦争はその思惑が衝突したものだと、とりあえず考えてください」

「百年戦争の背景には、英仏の領土的野心があったのですね」

「フランドル地方とギエンヌ地方ってところがあって、その利権問題が絡んでいました。フランドルは毛織物工業、ギエンヌは葡萄酒の産地ですから、ここを押さえると利益が大きいんですね」

「これからは国家間の紛争の理由は、領土問題って考えるようにします」

「そうなんだけど、どちらかというとそれはホンネで、戦争の理由にはタテマエが要るんですよね。

百年戦争開戦の原因はイングランド王エドワード3世が、フランスの王位継承権を掲げたことにあります。"王位継承"が戦争の大義名分になることは本当に多いんですよ。

元々フランスはカペー朝だったのですが、新たにヴァロワ朝が成立しました。国王の家柄がカペーさんからヴァロワさん一族にバトンタッチしたんです」

「エドワード3世はカペー朝の血をひいていたワケだ」

「そう！　その通りです。カペー朝にはフィリップ4世っていう国王がいたんですが、エドワード3世の母は彼の娘だったんです」

「なんだか相続問題で突如としてあらわれる親戚のようですね」

「とはいえ、血統は血統ですからね。フランスの有力者による会議でも、エドワードは候補に挙がっていました。

それでヴァロワ朝が成立してしまうと、"本当の王位はおれのものだ！"とエドワード3世がフランスに侵入して百年戦争がはじまります」

 3 フランスの劣勢

「戦争は当初、イングランド優勢でした。開戦の準備をしていましたし、フランス領内にはイングランドを支持する諸侯も多かったんです」

「フランスはまとまりがなかったんだ」

「イングランドに初戦で負けてしまったんです。また百年戦争中にペストが流行し、農民の数が激減しました。戦争継続のために両国では重税が課せられるんですが、それに反発して農民反乱が勃発します。まあ大混乱ですよね」

「それで戦争が長期化しちゃったんですね」

「なかなかジャンヌ＝ダルクが出てこないですね……」

「もうちょっと、もうちょっとです！

　百年戦争はその後も紆余曲折があるのですが、15世紀に入るとフランスの劣勢が明らかになります。各地の要衝を押さえられたし、イングランド側についちゃったフランス諸侯もいました。そうこうしているうちに、オルレアンという街がイングランドに包囲されて、もうおしまい、絶体絶命の状況になったんです」

図2-8　百年戦争中のフランス

「オルレアンってちょうどフランスの真ん中にありますね。河川にもつながっているから、ここが陥落すると物流の要衝を押さえられちゃうって寸法だ」

「当時のフランス国王はもはや求心力を失っていて、前王が亡くなったあと、王太子のシャルルはまだ即位できていない状況でした。諸侯たちの反対が大きかったんです。そして、ここにジャンヌ＝ダルクがあらわれました」

4 ジャンヌ＝ダルクの生涯

「ジャンヌ＝ダルクはフランス東部のドンレミという村で生まれました。いろいろ諸説はあるんですが、13歳の頃に神の啓示を受けたそうです。天使がジャンヌのもとに訪れ"イングランドを破り、王太子シャルルを国王に即位させよ"みたいなことを言われて、ガーンと衝撃を受けて、自分の役目を自覚しました」

「先生、それホントですか？」

「う……、まあ本当かどうかはさておき、ジャンヌが神の啓示を完全に信じきってしまったことが重要です」

「それでフランス軍に従軍したんですね」

「17歳のときに村を飛び出して、王太子シャルルに会ったらしいんです。彼はジャンヌに強い印象を受けて"この娘がフランスを救うぞ……"なんて思ったりしました。ジャンヌはちょっと神がかったところがあって、戦局はばっちり当てるし、兵の士気はあがるしで、フランスの諸侯や聖職者のなかには彼女の受けた啓示が異端なんじゃないかと訝る者もいたんだけれど、そのうちジャンヌは前線に送られていきました」

「いわゆるカリスマってやつですね、世界史ってたまにそういう人が出てきませんか」

「ジャンヌは軍を率いて、オルレアンの包囲を解放しました。イングランド軍を街から追い払ったんです。

　ジャンヌの活躍はフランスを一つにしました。反対派を抑えることに成功し、シャルルはついにランスでフランス王として戴冠します。ランスっていうのは、歴代国王の戴冠式が行われた街。王太子はここでシャルル7世として即位しました。その後はフランスが形勢を逆転、ついに百年戦争はフランスの勝利で終わったのです」

「絶体絶命のピンチを救ったわけですね。そりゃフランスの救世主になるワケだ。なんというかドラマチックです」

「しかし、ジャンヌには悲劇が待ち受けていました」

5 ジャンヌの火刑とその後のヨーロッパ

「ジャンヌは火刑に処せられちゃうんです」

「えぇ、なんでまたそんなことに？」

「フランス領内には、イングランド寄りの諸侯がたくさんいましたよね。ある戦いで捕虜になったジャンヌを、反フランス王派のブルゴーニュ公がイギリスに売り渡します。その後魔女裁判にかけられた彼女は、ルーアンという街で異端と宣告され、1431年に火あぶりにされてしまいました」

「シャルル7世はジャンヌが恩人なんですよね。例えば身代金を支払うとかして、どうにかして助けなかったのでしょうか」

「王はジャンヌを救いませんでした。かねてより彼女に愛憎半ばの気持ちがあったとか、母公の咎めがあったとか、諸侯の入れ知恵があったとかいろんな説があるんですが、シャルルは見捨ててしまうんです」

「うーん、これはなんとも薄情じゃないですか。政治的判断なのかなぁ」

「今となっては、シャルルの心情は誰にもわからないですよね。ジャンヌは19歳の短い人生を終えました」

「フランスはその後、どうなったのでしょうか。百年戦争には勝利したんですよね」

「はい、百年戦争はフランスが勝利して、イングランドは撤退します。以降はシャルル7世を中心に官僚制と常備軍を整備して主権国家体制を築きあげていくのです。羊くん、主権国家とはなんですか？」

「主権国家……聞いたことはあるけど、なんだか答えにくいなぁ。主権を

持っている国家！」

「ほほう、では主権って何？」

「主権……えっとすごい権限というか、まとめる力というか。うーん、なんていえばいいんだろ」

「こういう原理的な用語は、定義を押さえておきましょう。

　主権というのは徴税権と軍事権と考えてください。官僚は徴税を、常備軍は軍事を担います。主権国家というのは、政府が徴税権と軍事権を把握している国家なんです。中世の各国はたいてい封建国家でしたが、フランスはこの頃から少しずつ主権国家に変容していったんですね。

　一方のイギリスは戦後にバラ戦争っていう内戦が起こって、王朝が変わってしまいます。内戦で諸侯や貴族が没落すると、新しいテューダー朝では王権が強くなって、やっぱり主権国家体制が確立していくんです」

「ジャンヌ＝ダルクは、歴史の分岐点だったんだ」

「う……カッコいいセリフだ。

　そういう文脈でジャンヌ＝ダルクを評価すると、視野が広がりますよね」

チンギス＝ハン

モンゴル帝国の基盤をつくった初代皇帝！

道しるべ

◎ モンゴル高原の勢力の変遷を知ろう
◎ チンギスの外征と内政をまとめよう
◎ モンゴル帝国はどこまで拡大したのだろうか

「今回はチンギス＝ハンです。イルカさん、よろしくお願いいたします」

「私、チンギス＝ハンにとっても興味があるんです。なんといってもその統率力。

　モンゴルが世界を制覇する基盤をつくった人ですよね。いろんなメディアで目にしますし、マンガでも読みました。けれどいったい何をした人なのかっていうと、フビライ＝ハンなんかとごちゃ混ぜになっちゃって、いまひとつよくわからないんですよね」

「うおーイルカさん。そこまで自己分析できているならすぐ理解できますよ。遊牧民の土台の話から分解していきましょう」

 ## 1 騎馬遊牧民

「先生、まずモンゴルの遊牧民について教えてください」

「そうですね。イルカさんは、"騎馬遊牧"って知っていますか？」

「うーん、騎馬遊牧……。

　遊牧って、ヒツジとかヤギなんかの家畜とともに移動するんですよね。乳製品や肉を主食にして生活してる。

　騎馬ってことは、馬に乗りながら遊牧するんですか？」

「そうです、騎馬遊牧民は騎馬技術に長けた人々を指します。馬上での武器の扱いに優れていて、何より速いんですよね。戦闘力が農耕民よりもうんと高かった。遊牧に比べると、農耕のほうが生産効率は良いので、騎馬

遊牧民はしばしば中国の穀倉地帯につっ込んでいったんです」

「それはとても困りますね」

「遊牧地帯はユーラシア大陸の中央部に広がっていて、降水量が極めて少ない地方です。ステップ気候っていいます。このあたりは草原が広がっていて、騎馬遊牧民は行ったり来たりできるから、彼らはモンゴルだけでなく中央アジアからイラン高原北部、黒海北岸地帯に分布していたんです。

もっとも古い騎馬遊牧民の一つにスキタイがいました」

「スキタイはモンゴル人なんですか?」

「いえ、民族系統はイラン系とされています。

黒海北岸一帯を拠点として、前6世紀から前3世紀くらいに活動していました」

「そのあたりってすぐ西側にバルカン半島があって、ギリシア世界に近いですよね。ということは、古代ギリシアとも関連がある……?」

「地図(図2-9)を確認しましょう!

図2-9　スキタイと騎馬遊牧民の動き

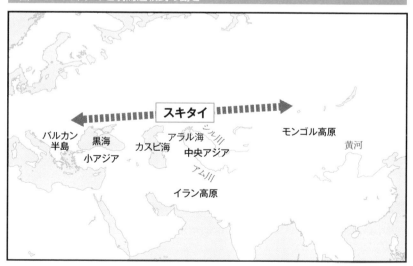

スキタイはペルシア帝国やギリシアのポリスとも抗争しました。

黒海北岸からカスピ海やアラル海の北方、そしてモンゴル高原、このあ

たりを騎馬遊牧民は縦横無尽に走りまわるんです。そうして、スキタイの騎馬技術がモンゴル高原に伝わりました」

 ## ② モンゴル高原の遊牧民と中国

「スキタイの活動は紀元前なので、モンゴルが大帝国をつくる13世紀とはずいぶんと年代のズレがありますよね。以降の遊牧民について聞いてもいいですか」

「コホン、そうですね。モンゴル高原の勢力争いはわりと激しくて、征服民族が入れかわり立ちかわりでややこしいんです。時期で分解しましょう。

　イルカさん、モンゴル高原に住んでいる民族はなんですか?」

「モンゴル人です」

「そうですよね。モンゴル人だからモンゴル高原。

　でもね、モンゴル高原には彼ら以外にもいろんな民族が遊牧を営んでいました。

　スキタイの影響を受けて頭角をあらわしたのが、匈奴です」

「聞いたことがあります。前漢の劉邦を破ったり、中国に侵入したんですよね」

「そう。匈奴は民族系統がよくわかってないんだけど、前2世紀からモンゴル高原で強大化します。

　冒頓単于っていう君主の時期に全盛をむかえ、中国を圧倒しました。とくに黄河流域の農耕地帯は、格好の餌食だったんです。匈奴をはじめモンゴル高原の騎馬遊牧民が、まあとにかく中国に介入しました」

「中国も遊牧民に対応しないといけませんね。軍事費がかかったんじゃないですか」

「ほんとその通りで、支出の多くが北方遊牧民の対策に割かれました。秦の始皇帝の時期に長城が修築されるんだけど、それも対匈奴の防衛壁だっ

たわけです。

　中国王朝と遊牧民の関係をざっと表わすとこんな感じです(図2-10)」

図2-10　遊牧民と中国王朝の関係

「うーん、頭がクラクラしてきました……。これ、中国王朝の順番を知ってる前提じゃないと、なかなか理解できないですよ」

「中国王朝の順番は大切ですよ！　でもとりあえず、今は気軽に見ておいてください。

　前漢最盛期の武帝は、“何度も負けられん！”ってことでしょうか、匈奴を打ち破りました。その後匈奴は衰退し、東西に分裂します。

　次に鮮卑がいますね。彼らはモンゴルで勢力を拡大すると中国に南下し、黄河流域に北魏という国を建てました。農耕地帯を支配した鮮卑族は中国と同化するんです。漢化政策っていいます」

「中国と同化……、農耕にいそしむんですか？」

「そうなんです。遊牧民が農耕っていう畑違いなことをするわけだからそれはいろいろ大変だったんだけど、彼らがつくった均田制っていうシステムは隋や唐でも継承され、日本の班田収授法にも引き継がれるんですよ。

　というわけで、鮮卑は南下しちゃったから、高原では新しく柔然が勢力を広げてくる。鮮卑も柔然もモンゴル系といわれています」

103

「なんだ、やっぱりモンゴル人じゃないですか」

 ### ❸ トルコ系の西進とツングース系の台頭

「それが6世紀になると、勢力図が変わってしまったんです。トルコ系の民族がモンゴル高原で強大化しました。突厥です」

「トルコって、今は小アジアにある国ですよね」

「そう。実は彼らの原住は中央ユーラシアなんです。

　突厥はモンゴル高原に遊牧帝国を建てて、周辺地域を支配しました。けれど隋の攻撃によって東西に分裂、その後は唐の攻撃を受けて四散してしまいます。

　8世紀にはウイグルっていう、これまたトルコ系の民族が勢力を拡大しました」

「ウイグルは授業で習いましたよね。安史の乱で中国に援軍を出して、そのあとちょっかいを出す……みたいな」

「ウイグルは唐を軍事的に圧迫したんです。もちろん草原地帯で交易を行って協力関係を築いた側面もあるんですが……。

　9世紀半ばにウイグルは別の遊牧民によって滅ぼされるんですが、残党勢力が西方に逃れました。モンゴル高原から中央アジア、さらにはイラン高原など、ユーラシアをずっと西に移動したんです。

　中央アジアから小アジアまでトルコ化が進んでいき、民族の大部分が西方へ重心を傾けたんですね」

「なるほど、トルコ人は西に移動して、果ては小アジアにたどり着いたんですね。すると、そのあとでモンゴル高原はモンゴル人の支配になった……？」

「それがなかなか簡単にはいかなかったんです。10世紀の中国では唐が滅亡して五代十国時代という分裂状態になったから、周辺の情勢もまた移り変わりました。

　モンゴル系の契丹が遼をつくったんだけど、これは12世紀にツングース系の女真族に滅ぼされてしまいます」

「あの……民族が多くてこんがらがります」

「そういう時はイメージですよ。図で確認しましょう（図2-11）。

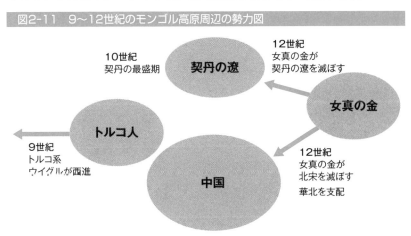

図2-11　9〜12世紀のモンゴル高原周辺の勢力図

10世紀
契丹の最盛期

契丹の遼

12世紀
女真の金が
契丹の遼を滅ぼす

女真の金

トルコ人

9世紀
トルコ系
ウイグルが西進

中国

12世紀
女真の金が
北宋を滅ぼす
華北を支配

　9世紀から12世紀はこんな感じで、北方民族が興亡するんです。トルコ系は西進し、モンゴル系の契丹は遼を、中国東北地方のツングース系の女真族は金を建てます。金は遼を倒すんだけど、以降は女真の支配下でモンゴル高原は諸部族が興亡する混乱状態となりました」

「なるほど、わかりやすい」

4 13世紀はモンゴルの世紀

「さぁ、チンギス＝ハンが登場しますよ」

「モンゴル高原って分裂状態がつづくけど、時期によって強大化する勢力が違うんですね」

「ポイントはそこなんです。13世紀初めまで分裂状態だったモンゴル高原を、チンギス＝ハンがついに統一しました。1200年代、13世紀は“モンゴルの世紀”といわれます」

「すっごい根源的な質問なんですけど、チンギスはなぜ諸部族を統一できたんですか?」

「カリスマ性です。

　遊牧民ってよく移動するし、おのおのの戦闘力も高く、生産量も多くないから徴税もままならないし、なかなか中央集権的な国家ができないんですよ。でも抜群の統率力があれば、その時代だけはスパッとまとまるんです」

「ほんとにそれだけなんですか?」

「チンギスは幼名をテムジンっていうんだけど、彼は早いうちに父をなくしているから、血族ってのをあんまり信用していなかったんです。あと親友にも裏切られたりしました。だから、血統や友情を超えた集団の重要性を理解していました。それがモンゴルの統一につながったのかもしれませんね。

　あとは、ううーん、その当時のタイミングもあったでしょうね。ずっと分裂状態でモンゴル高原の統一が人々に望まれていたとか、華北を支配する金が衰退したとか、いろんな角度から考える必要がありますよね」

「チンギスはモンゴル高原の諸部族を統一すると、1206年にクリルタイっていう部族会議で"ハン"を称し、大モンゴル国、すなわちモンゴル帝国が成立しました。

　チンギスは千戸制という部族の統治制度をつくります。遊牧民は農耕民と違って定住しないから、徴税とか軍隊の運用が難しいんですよね。それを部隊に分割して、システムとして機能させました。このあたりは農耕民にとってよく理解できないんだけど、遊牧民の組み分けを明確にしたんですね。ほかにも、大ヤサという法令を発して広大な国土を統治しました」

「わりと緻密なこともしたんだ」

「彼は遠征を進めます。

まずはナイマン。ここに友好使節を派遣するんだけど、貿易を拒否され
たから遠征して占領しました」

「やっぱり位置を確認ですね（図2-12）」

図2-12　チンギスの遠征とモンゴル帝国の最大領域

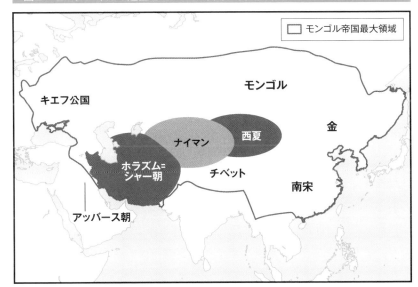

「次はホラズム＝シャー朝を征服。これは中央アジア西部からイランにか
けて起こったイスラームの国で、トルコ系とされてます」

「地図で確認すると本当によくわかりますね」

「そして、チンギスは中国の西域を支配していた西夏（せいか）に遠征します。征服
途上の1227年、落馬の傷が悪化して亡くなりました。チンギス＝ハンの遺
体は秘密裏にモンゴルへ移送され、地中深くに葬（ほうむ）られたということです。
彼の墓は今にいたるまで発見されていません」

 5 チンギス＝ハン後のモンゴル

「その後、モンゴルはユーラシアのほぼ全域を支配する大帝国となるんで
すね」

「はい、その通りです。彼の息子や孫が次々と各地に遠征し、支配領域に入れました。息子のオゴタイ、孫のモンケ、フラグ、そしてフビライです。その様子は図2-12の地図で広がりを確認しましょう。史上最大の大帝国が築かれたのです」

「その土台をチンギスが作り上げたんだ」

「ところがどっこい、14世紀に入るとモンゴルは勢力を弱めていくんです。内紛や地方勢力の台頭、そして何よりモンゴルの主要部が中国王朝と化してしまったから、騎馬遊牧民の強さに陰りが見えた……ということでしょうか。元末の農民反乱で頭角をあらわした朱元璋がモンゴル勢力を駆逐し、明を建てました。各地のモンゴル支配も次々と終焉していきます。そして、モンゴル人は、高原へと帰還していったのです」

「その後、モンゴルはどうなったんですか」

「明代には北虜として恐れられました。やはりというか、中国王朝に介入するんですね。明朝は皇帝がモンゴルの捕虜になったり、北京を包囲されたり、まあとにかくモンゴル人の動きで王朝はてんやわんやになるんです。

　17世紀になるとツングース系の女真族が台頭して、清を建てました。モンゴルは清朝に征服されて、以降は服属します」

「そうして、近代をむかえるわけですね。

　チンギス＝ハンって名前ばかりが先行して局所的には知っているつもりだったけど、歴史のなかで体系的に整理できたと思います」

第3章

近世

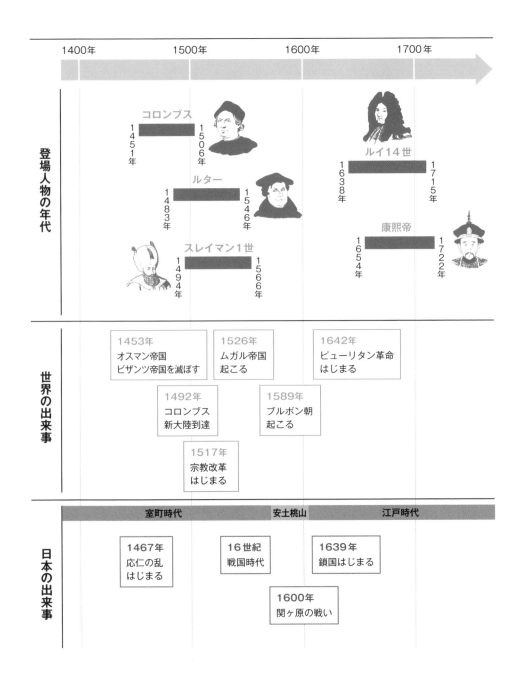

	1400年	1500年	1600年	1700年

登場人物の年代

コロンブス
1451年 — 1506年

ルター
1483年 — 1546年

スレイマン1世
1494年 — 1566年

ルイ14世
1638年 — 1715年

康熙帝
1654年 — 1722年

世界の出来事

1453年
オスマン帝国
ビザンツ帝国を滅ぼす

1492年
コロンブス
新大陸到達

1517年
宗教改革
はじまる

1526年
ムガル帝国
起こる

1589年
ブルボン朝
起こる

1642年
ピューリタン革命
はじまる

日本の出来事

室町時代　安土桃山　江戸時代

1467年
応仁の乱
はじまる

16世紀
戦国時代

1600年
関ヶ原の戦い

1639年
鎖国はじまる

コロンブス

アメリカ大陸到達をなしとげた航海者！

道しるべ

◎ スペインが海外進出を進めた背景を知ろう
◎ コロンブスがアメリカに到達した経緯を確認しよう
◎ スペインの新大陸到達は世界にどのような影響を与えたのか

「今回はコロンブスについてお話しさせてください。羊くん、よろしくお願いします」

「コロンブスって、卵の底をバチッとつぶして立たせたという逸話がワイルドですよね。常識をうたがえー、みたいな。で、結局何をした人なのかっていうと、アメリカ大陸に到達したことしか知りません」

「うむぅ……正直でいいですね。コロンブスの生涯を大航海時代の文脈から探っていきましょう」

1 近世のヨーロッパ

「大航海時代って、じつはあんまりよくわかってないんです。いったいなんのことなんですか？」

「それを説明するには中世ヨーロッパから話をしなくてはなりません。大航海時代はおおよそ15世紀から16世紀頃のことなんですが、まずは時間を10世紀頃に戻してみましょう。

　羊くん、この時代の特徴を説明できますか？」

「温暖化かな。気候が安定すると、農耕生産が安定したんですよね。ヨーロッパでは人口が増加します」

「おぉ……！」

「イルカさんに聞きました」

「そ、そうですか……。でも、内容を整理して説明できるのはとてもいい

ですね。

　人口が増えると拡大運動が起きるんです。十字軍の派遣や東ヨーロッパへの入植は、その一環でした。

　拡大運動でイスラーム世界に接触すると、東方の産物がもたらされて、地中海での交易が発展します。中国の絹織物とか陶磁器は、人気の商品だったんですよ。一番需要があったのが……」

「……香辛料!?」

2 香辛料と大航海時代

「なんでまた、香辛料が必要だったんですか？」

「肉の保存ですね。防腐作用があるし、なんといっても香りも良いから、生活の必需品でした。でも、香辛料はそもそも東南アジアの物産で、イスラーム商人がインドを越えてアラビア半島から地中海にもたらし、イタリアの商人が購入して西欧へ持ち帰ります。

　そういうワケで、中継ぎが多い香辛料はそれなりの値段になっちゃったわけです」

「中間マージンで価格が上がっちゃったんだ」

「そこでスペインとポルトガルは東南アジアへ、といっても当時のヨーロッパではアジアの東方は総じてインドと考えられていたんだけど、生産地とダイレクトにつながり、香辛料を手に入れてやろうと夢見ました。インド航路っていいます。香辛料へのあこがれが、大航海時代をひきおこしたんです」

「なるほど。温暖化によって人口が増える、拡大運動でイスラーム世界に接触する、香辛料を購入するけど値段が高い、それで直接取引しよう！って流れなんですね」

「なぜスペインとポルトガルが、インド航路開拓を進めたんですか？」

「良い質問です！　なんでスペインとポルトガルなんでしょうか!?」

「えっと、あれ、ぼくが質問していた気が……。うーん、スペインとポルトガルってイベリア半島の国だから、国土回復運動・レコンキスタに関係あるとか？」

「そう！　そこからさらに分解してみましょう。

　イベリア半島って、7世紀にイスラーム勢力がやってきてここを支配したんですよね」

「聖戦ジハードですね」

「はい。ウマイヤ朝がアフリカからジブラルタル海峡を越えてイベリア半島に侵入しました。以降もイスラーム勢力が残りつづけるのだけど、キリスト教徒がイベリア半島を奪還する軍事行動を起こしたんですよね。それがレコンキスタ。

　スペインとポルトガルは最終的にイベリア半島からイスラーム教徒を追い出します。だけどその経緯には違いがあるんです」

 3 スペインのレコンキスタ

「13世紀頃のイベリア半島は、西部にポルトガル王国、中部にカスティリャ王国、東部にアラゴン王国がありました（次ページ、図3-1）」

「あれ？　スペインがないですね」

「この当時は存在していないんです。3つに分裂していました。

　一方で、半島南部には、ナスル朝をはじめとしてイスラーム王朝が維持されていて、諸国はレコンキスタを進めています」

「分かれて運動を進めていたんですか？」

「いいところに目をつけましたね。軍事行動が画一的にとれないところに問題があったんです。ポルトガルは13世紀に領内のイスラーム勢力を排除するんですが、カスティリャとアラゴンは両国の対立もあってなかなかレ

図3-1　イベリア半島の三国

アラゴン王国

ポルトガル王国

カスティリャ王国

ナスル朝グラナダ王国

コンキスタが進まなかった」

「もしかして、スペインはカスティリャとアラゴンが合併してできたんですか?」

「そうなんです。アラゴン王国の王子フェルナンドと、カスティリャ王国の女王イサベルが結婚し、1479年にスペイン王国が成立しました。

　その後国土回復運動は加速します。1492年、ナスル朝の王都グラナダが陥落して、ついにレコンキスタが完了しました」

「ふむふむ。でも、それがなぜ大航海と関係あるのですか?」

「宗教的動機の対外運動を完了したスペインやポルトガルは、海外へのキリスト教布教熱が高かったんです。また国王を中心に軍事行動を起こしたから、国内の中央集権化が進んでいて、主権がおよぶ範囲を広げたい王国は海外進出を渇望していました。それに加えて香辛料の需要がある。このため、スペインやポルトガルが大航海時代を主導するんです」

「なるほど!　こういうのは知識の石垣をつくっておかないと、ちゃんと理解できないですね。

　でも、アジアを目指したのなら、スペインはなぜアメリカ大陸に到達しちゃったんだろう」

「羊くん、ヨーロッパからアジアを目指すとき、どのように行きます

か？」

「そりゃヨーロッパを南下して、アフリカをぐるっと回ってインドに到達、それで東南アジアに行きます」

「ですよね。でも、そのルートはポルトガルが先に開拓を進めていました。スペインは同じ土俵で戦ってもうまみが少ないですよね」

「競合ってやつだ」

「一発逆転の方法があったんです」

 ## 4 コロンブスの新大陸到達

「コロンブスは、ジェノヴァ出身のイタリア人。幼年の頃についてはよくわかっていないんだけど、早くから航海に従事していたようで、確かな操船技術を身につけていました」

「コロンブスは航海者だったから、アメリカへの到達を実現できたんですね。

　ん？　行った先がたまたま新大陸だったわけで、アメリカに行こうと思って航海したんじゃないのか……!?」

「あくまでアジアを目指しました。地球をぐるっと回れば、インドに到達すると思ったんです」

「当時は天動説だったのに、海の端から落下しちゃうとは思わなかったんでしょうか」

「それはもうちょっと前の考え方ですね。天動説にしろ地動説にしろ、15世紀後半の時期には"どうも大地は球体なんじゃないか"という説が主流になっていて、コロンブスは地球球体説を信じたんです」

「考えていても、なかなか実行できる気がしないなぁ……」

「コロンブスははじめポルトガルに話を持っていき支援を請うんですが、あっけなく拒否されました。彼らは東回りでの航路開拓に力を注いでましたからね。

「それで、今度はスペインのイサベル女王に西回りでのインド到達を提案します。当時はまだ国土回復運動の最中で、軍事費がかかり、はじめはイサベルも難色を示したんだけど、レコンキスタが終わった1492年の春にゴーサインを出しました」

「ついに出航ですね」

「コロンブスは３隻の船と乗員120人を率いて、スペインのパロス港から出発します」

「1492年10月12日、未知の島に到達しました。

　サンサルバドル島と名付けられたこの地は、バハマ諸島の一島です。コロンブスはこの地をインドと思い込んだため、先住民をインディオと呼びました。

　彼は現地の王に謁見しようとしたけど叶わず、以降は周辺の島を探検して、いったん帰国するんです」

図3-2　サンサルバドル島とコロンブスの航路

「コロンブスって何度も航海を行ったんですか？」

「計４回、実施しました。

　３回目の航海で現地に派遣されたとき、不満がふくれあがった入植者たちは反乱状態になってしまい、その責任を問われたコロンブスは本国へ送還されました。彼は自身の正当性を訴えて再び西インド諸島に戻ることが許されたんだけど、結局４回目の航海でも成果が乏しく、失意のうちにスペインへ戻ったんです」

「移住がうまくいかなかったんですね」

「そりゃもう大変だったようです。はじめは柔和だった現地民も入植者の開拓がつづくと反発し、スペイン人との激しい抗争となりました。気候も土壌も違うから、ヨーロッパから持ってきた種子はうまく生長しなかったし、金銀などの鉱物も西インド諸島ではほとんど採れなかったんです。随行した航海者は荒くれ者が多かったですしね。

　コロンブスが帰ると、直後に支援者のイサベル女王が亡くなりました。夫のフェルナンドはけんもほろろな態度で彼に接したから、ガクッと気力を失ったコロンブスは病が悪化して、1506年に55歳でこの世を去りました」

 5 アメリカ到達の影響

「偉人によくある、じつはわびしい最期ってやつだ。

　それからスペインはアメリカ大陸を侵略していくんですよね」

「はい、メキシコのアステカ王国や、アンデスのインカ帝国を滅ぼして、アメリカ大陸の支配を進めます。彼らはプランテーション農業や銀山開発を行い、スペインに富が集まって最盛期を迎えました。一方で先住民ネイティブ゠アメリカンを農場や鉱山で過酷な労働につかせたのです」

「さらに、伝染病がはやったんですよね」

「天然痘が猛威を振るいます。彼らには免疫がなかったんです。疫病で先住民の人口が激減してしまいました」

「酷使もあったんですよね。先住民を労働で使役するのに、何か正当な理

屈があるんですか？」

「スペインの入植者たちは、先住民の保護とキリスト教化を条件に彼らを労働力として利用してもよいと、国王からお達しがくだされたんです。エンコミエンダ制といって、元々は先住民の保護を目的としていたんですが、それが入植者たちにより利用されてほとんど奴隷制のようになってしまった」

「おかしいって誰か声をあげないと……」

「ラス゠カサスという宣教師は『インディアスの破壊についての簡潔な報告』をしたためて、先住民が迫害を受けている惨状を国王に訴えました。しかし、これが逆にアフリカから黒人奴隷を導入する契機になります。数えきれないほどの黒人奴隷が、海を越え連れてこられました。アフリカの社会は崩壊しますよね、当然」

「コロンブスは偉大なことを成し遂げた！とずっと思ってたんだけど、ううーん、なんだか雲行きが怪しくなったなぁ」

「それ以降にやってきた入植者の問題が大きいですけどね。これはもうヒトの業としかいいようがないです。コロンブスも先住民をつかまえて本国に連れ帰ったりしているけど、彼にどこまで侵略の意思があったのかちょっとはかりかねます」

「もしコロンブスがアメリカに到達しなかったとしても、ほかの誰かが行っていただろうから、トリガーを引いた分だけちょっと気の毒な感じがあります」

第3章 近世

マルティン=ルター

宗教改革をはじめて、プロテスタントが生まれた！

第1章・・・古代

第2章・・・中世

第3章▼▼▼近世

第4章▼▼▼近現代

道しるべ

● カトリック教会の腐敗の内容を知ろう
● ルターは宗教改革でどのようなことを主張したのだろうか
● カール5世のルター派諸侯への対応をまとめよう

「先生、今回はマルティン=ルターですね。楽しみです」

「おぉ！　イルカさん、ルターが好きなんですか？」

「ルターというより、教会の腐敗に興味があります。

　私、気づいちゃったんですけど、組織って必ず腐りますよね？」

「ぐっ……、いやぁ。ばれましたか」

「あくまで私の個人的な推察なんだけど、ヒエラルキーの社会は構造的に
いろいろ問題があるんじゃないかって思ってるんです。

　政治の機能って、つまり"富の集約と分配"ですよね？」

「はい、その通りです」

「ということは、上位階層に富が集まってくるから、どうしてもそこに富
がプールされちゃう気がするんです。人間の本能的に」

「というと？」

「うーん、私は狩猟・採集にその起源があると考えていて、あの時代って
明日食べるものが保障できなかったわけじゃないですか。生きるために、
自分の遺伝子を後世に残すために、とにかく食料を集めて保存しようとす
るでしょ？　この作用を本能としますね」

「ふむふむ」

「それで農耕社会が深まってくると、国家は政治を執りしきって徴税と再
配分を行いますよね。でも、大衆が生産した富をいったん回収して適切に
分配することって、本能に反する行為だと思うんです。なんで私たちの生
産物を取りあげるの？って感じで」

「政治って、理性的な所作ですからね」

「はい。だから世界史は、本能に従順なホモ゠サピエンスが理性に依存する政治機能を利用するギャップによって、ややこしい出来事が起こってるんじゃないかなぁ、と感じるんです」

「イルカさん……、それとっても面白いですよ。実際に学問としてどこまでアプローチできるかわからないけど、社会学や心理学とかいろいろな分野にまたがりそうですね」

「大学で研究してみたいテーマなんです」

 ## ❶ カトリック教会と免罪符

「腐敗と改革の様相は時代や地域によって異なります。

例えば古代エジプト。新王国時代には神官たちがアモン信仰にどっぷり漬かり、祭式中心になってしまったんですよね。それに抵抗して、当時のファラオであるアメンホテプ４世は一神教を強要する宗教改革を行いました。

ユダヤ教では、パリサイ派が戒律を重視する律法主義に陥ってしまいましたね。それに対し、イエスが"神の絶対愛"と"隣人愛"をかかげて独自の宗教改革を行います」

「アメンホテプ４世やイエスの活動を宗教改革といっていいんですか？」

「宗教改革というとルターのそれをさすことが一般的ですが、広義ではよしとしましょう」

「構造が似ていますね」

「16世紀初頭のカトリック教会では、免罪符の販売が腐敗の象徴でした。

免罪符は贖宥状（しょくゆうじょう）といって、現世の罪が赦（ゆる）される証書のこと。これを買えば地獄を経由することなく天国に行けるんですよね。おのれのものどころか、先立った親兄弟のものさえ購入できました。教会が率先して売りさばいたんです」

「罪を裁くのは神ですよね。そんなことしていいんですか？」

「これまでも慣例として教皇が信徒の罪を赦免することは行われていたんです。

　ただ、今回の場合は当時のローマ教皇がサン゠ピエトロ大聖堂の修築資金捻出のため、免罪符の販売を許可するという背景がありました」

「サン゠ピエトロ大聖堂ってカトリックの総本山だ。私、一度行ってみたいんです！　バチカン宮殿ではシスティナ礼拝堂祭壇の壁画、ミケランジェロ作の『最後の審判』が見られるんですよね」

「バチカン美術館の所蔵品はすごいですよ。見ごたえ十分。

　ローマ教皇はルネサンス芸術のパトロンだったから、とにかくお金が必要だったんですね。とくにドイツでは免罪符がバシバシ売られたので、"ローマの牝牛"って呼ばれちゃいました」

「教皇って物入りですね。

　もちろん現代の私たちの基準でははかれないけれど、どうして当時の人々は免罪符を買っちゃったんだろう。怪しいとは思わなかったんでしょうか」

「不安を煽って需要をつくり出すのは古今東西変わらない手法です。例えばイルカさん、模擬試験の結果が封筒で返却されるじゃないですか。そのなかに夏期講習の案内が入っていたらどうしますか？」

「あー……なるほど、わかりやすい」

 ## 2 ルターの宗教改革

「ルターは鉱山経営者の子として、ドイツ中部に生まれました。大学で文学や法学を研究し、中産階級にあって将来が約束されていたんだけど、周囲の反対を押し切って二十歳そこそこで修道士の道を志します」

「何か心境の変化があったんですか」

「ルターはもともと敬虔なキリスト教徒でしたが、学生の頃に死をも覚悟

するようなものすごい雷雨にあってしまい、そのときに"命が救われれば、修道士になる！"と祈ったらしいです。

　その後ヴィッテンベルク大学の神学教授に就任し、聖書や神学の問題に取り組みました」

「それで、教会の免罪符販売に疑問を持ったんですね」

「ルターは、人々の信仰のみが、その福音のうちに神の義を獲得すると考えました。信仰義認説っていいます」

「えぇっと、つまり信仰が大事で、べつに免罪符なんて買わなくていいってことですか？」

「そうです。そもそも免罪符のことは聖書に書かれていませんからね。そこで、ルターは免罪符販売の疑問点を"九十五カ条の論題"にまとめて公表しました。1517年、ここに宗教改革がはじまります」

「歴史が動いた瞬間だ。

　ローマ教皇はもちろん反発しますよね。予備校講師が"夏期講習のむやみな販売は不要だ！"って言ってるようなものでしょう？」

「そういうこと言うのは危険、危険！

　教皇側もルターに対して公開討論を行うんですが、対立が決定的になっちゃったんです。とくにルターは著書『キリスト者の自由』で教会をおおっぴらに批判し、送られてきた教皇の勅書を広場で焼き払いました。それで、ついに破門されちゃうんです」

「いたし方のない流れですね」

「宗教改革は、ここから経過が複雑になっていきます」

 3 ルターとカール5世

「イルカさん、中世以降のドイツをなんといいますか？」

「えっと……、神聖ローマ帝国です」

「その通り！

この神聖ローマ帝国ってのがわりと曲者で、世界史選択者を悩ませるんです」

「そもそもドイツなのに神聖ローマ帝国って意味不明じゃないですか。ぜんぜんローマじゃないですよね」

「10世紀のドイツって、国王オットー1世が外征で活躍しローマ教皇の信任を得たんです。それでローマ帝国の帝冠を授かりました。オットーの戴冠っていいます。神聖なるカトリックの教皇がローマ帝冠を授与したから"神聖ローマ帝国"」

「うーん、いまいち納得いかないけど、とりあえず中世ドイツ＝神聖ローマ帝国と考えておきます」

「しかも、この当時のドイツは分裂状態でした。領邦諸侯っていうドイツにおける大名みたいな存在が各地で自立していて、帝国としての統一感がまるでなかったんです」

「神聖ローマ帝国の家柄で有名なのはハプスブルク家ですよね。彼らはいったいどういう存在なんですか？」

「ハプスブルク家は15世紀半ばから皇帝位を世襲した家柄、オーストリア周辺で中央集権を進めていました。けれども、領内にはチェック人やマジャール人など他民族が居住してるし、領邦の分立もあいまって、全体を見ると恐ろしくまとまりがなかったんです。この構造を知っておくと、近代のドイツ統一もスッと理解できますよ」

「ルターの宗教改革は、ドイツの状況が関係してくるんですね」

「そうなんです。当時の神聖ローマ皇帝はカール5世。彼は教皇から戴冠を受けているので、もちろんカトリック側の人間です。

　さっきルターはローマ教皇に破門されましたね。ルターはべつにどうってことないって感じで平然としているんですが、ドイツの君主からしたらたまったものではないんですよ。教皇の手前、ルターの行為はドイツを統括する皇帝カール5世の責任問題でもあるんです」

「上と下に挟まれた中間管理職のようですね」

図3-3　神聖ローマ帝国の構造

領邦諸侯
分裂状態！

ブランデンブルク

ザクセン

ベーメン

神聖ローマ帝国

オーストリア

バイエルン

「カール5世はルターを帝国議会に呼びつけて、自説の撤回を迫りました。そういうのはドイツで吹かさないでくれ、ちょっと考え直してくれって感じで。でもルターはそれを拒否したんです」

「かたくなだ」

「しかたがないので、カール5世はルターを帝国追放の処分にしてしまうんですね。何があっても今後あなたを国内では保護できないと通告します。事実上の処刑宣告なんですが、宗教改革は新たな展開を迎えました」

 4 宗教改革の展開

「ドイツは分裂状態、神聖ローマ皇帝は帝国を統一したいし、諸侯は自治を維持したかった。皇帝と領邦諸侯はお互い対立していたんです」

「なんだか政治的な雰囲気になってきましたね」

「領邦諸侯は神聖ローマ帝国に属しているから、もともとはカトリック側ですよね。でも、ルターが"カトリック教会は間違っている！"と叫んだ結果、領邦諸侯はこぞってルター派に転向するんですよ」

「カトリックから離脱したってことですか?」

「そうです。彼らはルター派諸侯となります。

　これはもちろん宗教上の理由があったんだけど、多くは政治問題でもありました。カトリックの庇護下にあると、どうしても領内の富を教皇や皇帝に持っていかれるんですよね、構造的に」

「宗教組織は税務署の役割があるって、以前言ってましたもんね」

「領邦諸侯がルターの信仰に転向すれば、生産物を領邦内でマネジメントできるでしょう。それで、ザクセン選帝侯にかくまわれてルターは一命をとりとめるのです。彼は潜伏先のヴァルトブルク城で『新約聖書』のドイツ語訳を完成させました。これが当時の最先端のテクノロジーであった活版印刷技術で大量に印刷されると、ドイツ中にばらまかれます」

「あ、免罪符のウソがばれる……」

「そしてドイツ農民戦争が勃発しました。ついに民衆の反乱が起こったんですね。

　この戦争はもちろん宗教的な不満が原因なのだけれど、領主制の下で抑圧される農奴の解放がその背景にありました」

「目的が社会問題にすりかわっていったんですね」

「ルターははじめ農民たちに同情的だったんです。免罪符を買わされていたわけですからね。だけど農民たちが社会変革を目指していると知って、以降は諸侯たちに徹底弾圧を求めました。ルターはあくまでも信仰の変革を志していたんです」

「さぁ、まだまだ話がつづきますよ。今度は国際関係に視野を広げてみましょう。16世紀に小アジアからバルカン半島を支配している国はどこですか?」

「オスマン帝国です。ちょうど最盛期、スレイマン1世の治世かな」

「そうそう。スレイマン1世はとっても大事な指導者なんだけど、ここで

は国際情勢で登場してもらいます。オスマン帝国は神聖ローマ帝国と対立して、のちに第一次ウィーン包囲を行いました」

「有名な出来事ですね。こういう侵攻みたいなものは、やっぱり地図でイメージしておいたほうがいいですよね。図版はありますか？」

「料理番組みたい……。もちろん作成しました！　こんな感じです（図3-4）」

図3-4　16世紀の国際情勢

「準備がいいですね。

　えっと、フランスとオスマン帝国に囲まれているから、神聖ローマ帝国はこの両国と対立している？」

「えぇ、そうなんです。16世紀にはイタリア戦争でフランスと激しく抗争しました」

「カール5世は大変ですね」

「のちにはオスマン帝国とフランスが同盟しちゃいます。ドイツは位置関係的に苦労が多い国なんです」

「しかも国内では領邦諸侯と対立している。これってカール5世はかなりまずくないですか」

「三方囲まれていますよね。イルカさんが皇帝なら、まずどれを片付けますか？」

「ううーん、迷うんだけれど……、さしあたって圧力を感じるオスマン帝国をどうにかしたいですね」

「ウィーン包囲が迫ってますからね。というわけで、カール５世は国内の領邦諸侯に対してルター派の信仰を認める勅令を発しました。信仰を容認する代わりに、軍事的援助を請うたんですね」

「そうして神聖ローマ帝国は勢力を保ったわけですね。なるほど、ここまでくるともう完全に政治問題だ」

「ですが、カール５世はイタリア戦争の一時講和に成功し、西方での安全を確保すると、今度はルター派信仰を禁止にしてしまうんです」

「前言を撤回してる……」

「ルター派諸侯たちは激しく抗議しました。旧教カトリックに対して、新教をプロテスタントというんだけど、これは“抗議する者たち”という意味なんです」

 ５ 宗教改革のその後

「その後、諸侯たちは軍事同盟を組んで、皇帝に抵抗します。一方、カトリック側がトリエント公会議っていう決起集会を開くと、ついにルター派諸侯との戦争がはじまりました」

「ルターはその発端になったということですか」

「旧教と新教の抗争を宗教戦争といいます。皇帝軍はなんとか諸侯の反乱を鎮圧するんだけど、カール５世はまあ疲れきってしまい、それで1555年にアウクスブルクの宗教和議をとりきめて、諸侯のルター派信仰をついに認めるんです」

「ようやく一段落ですね」

「ここで気をつけたいのが、諸侯の宗教選択権を認めただけで、個人の信

仰の自由ではないというところですね。諸侯の決定がその領邦の宗派になります。ともあれ、カール5世は和議を取りつけた後にガクッときちゃって、ハプスブルク家を息子や弟に継承し、自身は修道院に隠遁しました」

「波乱万丈の人生だ……。あれ、途中からカール5世の話になりましたね。ルターはその後どうなっちゃったんですか」

「ドイツ農民戦争で反乱の弾圧を主張したため、農民たちからは嘘つき博士なんて呼ばれました。また宗教改革の波はヨーロッパ中に広がったんだけれど、ほかの改革者や人文主義者とは論争を起こして対立するなど、新教派も一枚岩ではなかったんです」

「うーん、ルターがはじめたことでヨーロッパ中が混乱したんだから、私だったら自責の念にかられてしまうかもしれません。それが仮に正しいことであったとしても」

「ルターにはもちろん良心の呵責があったと思います。これは本当に神が望まれたことなのかってね。ただ、ルターは元修道女と結婚し何人もの子を残し、平和な日常を過ごしました」

「修道士なのに、結婚していいんですか」

「ルターは司祭や修道士でも結婚すべきと考えていました。当時の修道女は何かと理由があって強制的に修道院に送り込まれた人が多かったんだけど、彼女たちの脱出に協力して、そこで知り合ったカタリーナという女性と結ばれたんです。

　修道院ではビールを醸造していたから、カタリーナのビール造りの腕前はなかなかのもので、ルターもカタリーナのビールが大好きでした。彼は家族とともに日々を暮らしながら、トリエント公会議の行く末に気をもみつつ、1546年に亡くなりました」

「今回は盛りだくさんで、いろいろなことを考えさせられました。ルターの話は興味が尽きないです」

スレイマン1世

オスマン帝国最盛期の名君！

- ◎トルコ人の西進の流れを理解しよう
- ◎オスマン帝国の台頭の経緯をチェックしよう
- ◎スレイマン1世のオスマン帝国はどこまで拡大したのだろうか

「先生、今回はスレイマン1世ですね！」

「おぉ！　羊くん、やる気ですね。スレイマン1世も喜んでいますよ」

「前知識があんまりないから、とても楽しみなんです。オスマン帝国の君主……くらいかな、知っていることは」

「オスマン帝国の講義はしなかったっけ？」

「1年生のときは日本史選択だったんです。ま、だからといって日本史がきちんと理解できているかは別問題だけど」

「それではスレイマン1世やオスマン帝国のさらにもっと前の時代からお話ししないといけませんね」

❋ ❶ トルコ人の西進

「羊くん、トルコ人の原住地ってどこだか知っていますか？」

「ユーラシア内陸の草原地帯ですよね。その一帯で遊牧を行っていたのがトルコ人です」

「うお⁉　完璧じゃないですか。じつは世界史選択だったとか」

「この前のチンギス゠ハンの話を裏で聞いていたんです。遊牧民の話が出てきましたよね。トルコ系民族はもともと中央ユーラシアにいて、モンゴル高原でも拡大したってね」

「あ、裏にいたんだ。でも聞いた話をきちんと説明できるのはいいことですよ。アウトプットはとても大切です」

「いつも世界史の授業で習ったことは、家のインコに話して聞かせているんですよね。ピーすけ、世界史がずいぶん詳しくなっただろうな」

「そうですか……。

　それで、トルコ系民族はユーラシア内陸で遊牧生活を行っていました。その後、彼らの一派がアナトリア高原に進出したんです。地図で確認してみましょう！（図3-5）」

図3-5　トルコ民族の原住地と西アジアの地名

「へぇ、ずいぶん長い距離を移動したんですね」

「今でもトルコの人々は、自分たちの出自は突厥帝国と考えているんですよ。突厥とは6世紀にモンゴル高原で起こったトルコ系の遊牧国家のことです。その後もモンゴル高原を中心に勢力を広げたんだけど、トルコ系ウイグルが滅んだあと人々が西進するんですよね」

「高原での勢力争いに敗れて移動したんですよね。それで小アジアまで行ったんですか？」

「いきなりダイレクトに移動したわけではないんですが、何百年もかけて民族の分布が西に傾きました。ウイグルの滅亡は9世紀半ばで、以降中央アジアからイラン高原、そして小アジアへとトルコ人は進んでいったんです。その過程で中央アジア一帯がトルコ化していきました」

「中央アジアにはもともと誰がいたんですか？」

「いろんな民族が入り交じっていてちょっと複雑なんだけど、この地域は伝統的にソグディアナといわれていて、イラン系ソグド人がここを拠点に東西交易を行っていました。

　ソグディアナって中国やイラン高原、インドに抜けられるから、古来、貿易の中継地点として機能しました。そこにトルコ人が押し寄せたんです」

 ## ❷ セルジューク朝と小アジア

「トルコ人が中央アジアに移住すると、イラン系民族との抗争になりそうですね」

「そうですねぇ、ある場合には紛争になったと考えられますが、そう簡単な話でもなかったんです。当時このあたりにはサーマーン朝っていうイラン系イスラーム教の王朝があったんだけど、彼らがトルコ人を軍事力として用いたんですよね」

「中央アジアにイスラーム教の王朝があったんですか？」

「イスラーム教は600年代に成立するんだけど、9世紀になるとソグディアナにも浸透しました。騎馬遊牧民族のトルコ人は武力に優れている。だからサーマーン朝のイラン人たちは奴隷軍人マムルークとして彼らを登用したんです」

「奴隷軍人ってすごい名称ですね」

「奴隷といってもエリート軍人になり高位を得る者もいたので、ぼくらが考える奴隷のイメージとはちょっと違うんですよ。サーマーン朝によりトルコ系の人々は西方世界に軍事力として輸出され、彼らの移住はさらに進みました」

「トルコ人は軍事力を持っているんですよね。ぼくならイラン人を武力で支配して王朝をつくるけどなぁ」

「まさにそうなって、イラン人とトルコ人のパワーバランスが逆転しま

す。10世紀にはトルコ系初のイスラーム王朝となるカラハン朝が成立し、中央アジアのトルコ化がさらに進みました」

「まだ小アジアは遠いですね。この後もいろいろあるんでしょ？」

「11世紀にはセルジューク朝っていう、これまたトルコ系の王朝ができたんだけど、それがバグダードに入城してカリフからスルタンの称号をもらいました」

「んん？　カリフ…スルタ…なんですって？？」

「新しい用語でびっくりしますよね。

　カリフというのはイスラーム教の宗教指導者（権威）のことで、ムハンマドの後継者を意味しました。当時はバグダードにカリフがいたんです」

「ではスルタンっていうのは？」

「スルタンはイスラーム世界の政治権力者のこと。セルジューク朝は中央アジアからイラン高原、イラクあたりまで支配していたんだけど、宗教指導者（権威）であるカリフからスルタンの称号を与えてもらい、その立場を確固たるものにしたんですね。"スルタンの称号を授ける。お前に統治を任せたぞ"ってね。当時の西アジアは大半がイスラーム教徒だったから、"まあ敬愛するカリフが言うならセルジューク朝による支配もいたし方ないのかなぁ……"ってなりました。宗教権威と政治権力が分かれることは、世界史ではよくあることなんですよ」

「天皇から征夷大将軍が任命されるみたいなものですか」

「そう、そんな感じです！」

「こう見えて去年は日本史選択でしたからね」

「それでセルジューク朝はさらに西進して小アジアに進出、アナトリア高原のトルコ化が進みました」

 3　オスマン帝国の成立

「セルジューク朝の勢力が下火になると、トルコ系の小国がアナトリア高

原に分立するんですが、13世紀末にオスマン帝国が建てられました」

「おぉ、ついにオスマン帝国だ。んん？　……でも帝国っていう言葉は、多民族を統治する領域国家に使われるんですよね。はじめから帝国だったんですか？」

「うーん、するどい質問だ。そうですね、オスマン帝国っていう言葉はこの国の成立から滅亡までを便宜的に表現しているのであって、はじめは小さな一侯国だったんです。それがだんだん拡大して、帝国の体をなしていきました」

「いつくらいから帝国になったんだろう」

「それはものすごく難しい問題で、明確な答えはないんですが、4代バヤジット1世の頃に"スルタン"の称号を使いはじめました」

「さっきのセルジューク朝がカリフからもらった称号ですね。世俗権力の支配者だ」

「彼はバルカン半島に進出して、その大部分を領土に加えました。その過程でスラヴ人などの民族を支配領域に加えるんです。オスマン帝国はトルコっていうイメージが強いけど、じつはいろんな民族や宗教が混在しているんですよ。

　さて羊くん、オスマン帝国はなぜバルカン半島に進出するのでしょうか？」

「ううーん、なぜって言われるとなんでだろう。逆方面のイラクやイランには強敵がいたから……かな」

「おぉ！　じつに地政学的な考え方ですね。当時はティムール朝っていうなかなか強大な国が中央アジアから西アジアで台頭していたから、それも十分理由になりえますね。勢力図を確認しましょう（次ページ、図3-6）。小アジアとバルカン半島の間には……」

図3-6　15世紀前後の西アジア情勢

ビザンツ帝国
コンスタンティノープル・
・アンカラ
ティムール朝
マムルーク朝
・メディナ
・メッカ

「コンスタンティノープルのあたりにビザンツ帝国がありますね。えっと、これは古代のローマ帝国が分裂したあと東側にできたあの東ローマ帝国ですよね。こんなに小さくなったんだ……」

「ビザンツ帝国は6世紀の最盛期には"地中海帝国"と呼ばれるほど広大な地域を支配したんだけど、14世紀から15世紀にはもうほとんどコンスタンティノープル、っていうと現在のイスタンブル周辺に領土が限られていたんです。それでもビザンツ帝国はローマ帝国の後継でギリシア正教の中心だったから、なんといっても権威がありました」

「ビザンツを倒せば文句なしに帝国って感じかな」

「じつはそう簡単にはいかなくて、オスマン帝国は東方でティムール朝に敗れて一度滅びてしまうんです。でもその後に帝国が勢力を復活させると、1453年にはコンスタンティノープルを陥落させ、オスマンはついにビザンツを滅ぼしました」

「古代ローマ帝国の伝統が……。これは大事件だ」

「そして16世紀に入るとオスマン帝国はメッカとメディナを獲得し、イスラーム世界のリーダーとなりました」

「メッカとメディナはイスラーム教の両聖都ですよね。将軍が京都を押さ

えるようなものでしょうか」

「おぉ、さすが日本史選択！」

4 スレイマン1世の治世

「さあスレイマン1世の登場です」

「いつも人物がなかなか出てこないから心配になるんですが、それもいた
し方ないですね。背景や前提をつかんでおかないと、なかなか理解が深ま
らない」

「羊くん、スレイマンの事績をどのようにまとめましょうか」

「うーん、まとめ方か。政治、経済や文化……、いや、とりあえず内政と
外政で分けようかな。国内と国外に分類するのがわかりやすいと思います」

「いいですね。ずいぶん世界史の学び方がさまになってきました。情報を
項目に分けると整理しやすいですよね。スレイマン1世は20代半ばでスル
タンに即位すると、46年間にわたる彼の治世で帝国はバリバリの最盛期を
迎えました。まず外政から見てみましょう」

「地図を用いて視覚的に確認したいですね」

「そう！　こんな感じです（図3-7）」

図3-7　オスマン帝国の最大領域

135

「オスマン帝国ってこんなに大きかったんですか⁉」

「彼はこの領域を実現したんです。ヨーロッパ方面を見てみましょう。まずはバルカン半島をどんどん北上してハンガリーを征服しました。その勢いのまま、第一次ウィーン包囲を行います」

「聞いたことありますよ。神聖ローマ帝国の帝都ウィーンを圧迫したんですよね」

「そう。包囲は冬の到来で失敗するものの、歩兵常備軍イェニチェリはヨーロッパを震撼させました。このおかげで皇帝カール5世は諸侯に対しルター派の信仰を一時容認し、そのあとプロテスタントが生まれるわけですからね」

「スレイマン1世が弱腰だったら、宗教改革は成功しなかったのかもしれないですね」

「その後はフランスと同盟を結んで、神聖ローマ帝国を圧迫しました。ヨーロッパの政治情勢にも介入したんです。

　アジア方面ではサファヴィー朝を破り、イラクやアゼルバイジャンを獲得しました」

「サファヴィー朝⁉　……って地図を確認してみますね。イランの王朝だ」

「この王朝はシーア派なんです」

「シーア派って、イスラーム教の宗派ですよね」

「その通り。アリーの血筋のみをカリフとして認める派閥です。オスマン帝国は多数派のスンナ派だから、シーア派のサファヴィー朝と激しく抗争しました。スレイマン1世の時期にはこのイランに対して優勢だったんです。

　海上にも目を向けてみましょう。彼は海軍も拡大したんです。地中海方面ではスペインやヴェネツィアの連合艦隊をプレヴェザの海戦で破り、周辺海域を掌握しました。また15世紀後期からはポルトガルがインド洋に進出していたんだけど、彼らに対抗してイエメンを確保し、ペルシア湾や紅

海の制海権を死守します」

「オスマン帝国はトルコ人が中心の国家ですよね。ユーラシアで遊牧生活していたのに、ついに海まで制覇したんですか」

「なかなか感慨深いものがありますよね」

〜〜〜〜〜〜〜〜〜〜〜〜〜〜〜〜〜〜

「スレイマンは内政では"立法者"と呼ばれ、帝国の行政機構を整備しました」

「いつも思うんだけど、行政機構の整備っていったいどういうことなんですか。世界史の教科書とかによく出てくる表現だけど、はっきりいってよくわかりません」

「確かに……。行政機構っていうのは徴税と分配のしくみ・機能のことで、スレイマン1世は国土の検地を行い、この場所はこのくらいの税金だなって感じで租税体系を明らかにしました。あと、貨幣の鋳造ですね。お金がきちんと流通していれば税収は安定するでしょ。ほかには帝国が把握している州や県を拡大し、徴税がうやむやになっていた地方を減らしていったんですね」

「そんなことすると、それまで自分の領土でウハウハ良い思いをしていた地方領主は反発するんじゃないですか」

「そこをマネジメントするのが賢君の腕の見せ所です。時には厳しく、時には懐柔するそのバランスが大切なんです」

 ⑤ スレイマン1世の晩年とその後のオスマン帝国

「先生。いつも世界史って人物の人となりがよくわからなくて、とっかかりがないというか愛着がわかないんですよね。スレイマン1世はどんな人だったのかなぁ」

「羊くん、人物の人となりってどうやって判断しますか?」

「そりゃ、会って話せばわかりますよね。カフェとかに行って。といっても、よく考えたらスレイマンには会えないか……。だったら周りの人の評価かな」

「周りの人の評価も、案外アテにならなかったりしません？」

「確かに、実際に会うと聞いていたのとはぜんぜん違うこともあるし、そもそも君主の評価って政治的なバイアスがかかりそうですよね。てことは実際にその人が書いたものを読むとか……!?　今でいうと、ＳＮＳの投稿っていくつか読むだけでその人がどういう人間か、なんとなくわかるじゃないですか」

「スレイマン１世は自分で詩文をつくるほどの教養人でしたよ。もし興味があれば図書館に行って読んでみてください。彼は妃たちとのやり取りで、とっさに詩を諳んじたというほど文芸を愛していました」

〜〜〜〜〜〜〜〜〜〜〜〜〜〜〜〜〜〜〜〜〜〜〜〜〜〜

「晩年はどうだったんですか？」

「暗い影がちらちらと差しはじめます。スレイマンはほかの妃を押しのけて、奴隷出身のヒュッレムを皇后に迎えました。それで息子たちの政争が激しくなったんですね」

「歴史上の人物って、新しい皇后を迎えたよ、それで国が傾いたよ……！って人が多い気がします。唐の玄宗とか」

「"英雄、色を好む"ってことなんでしょうかねぇ。謀反の罪で何人かの子を処刑したり、愛する妻には先立たれたり、彼の晩年は家庭的につらい出来事がつづいたそうです。

　人生最後となるハンガリー遠征の陣中、病に倒れたスレイマン１世は72歳で没しました」

「なるほど、最後にはちょっと陰りが見えたけど、スレイマン１世の治世がどんなものかよくわかりました。最盛期の要因はズバリなんでしょうか」

「うーむ、もちろんスレイマン１世の統治能力が優れていたとか、カリスマ性があったことは間違いないですね。あとは……、運！」

「運！」

「オスマン帝国の帝位継承では、だいたい何人もの候補者による血なまぐさい後継者争いが起こるんですよね。でもスレイマン１世のときはなぜだかそれが見られなかったんです。すんなりスルタンに即位しました。また、部下に恵まれたっていうのも大きかったですね。優れた宰相や将軍が彼の脇を固めたんです」

「部下を見ぬく眼力も必要ですよね。

彼の死後、オスマン帝国はどうなったんだろう」

「長い目で見ると徐々に衰退しました。例えばスレイマンは歩兵常備軍イェニチェリを拡大させたため、彼らの台頭を招きます。また軍事的には、彼の死後にはイラクやアゼルバイジャンをサファヴィー朝に奪われるなど、帝国領土の縮小が見られました。

だけど、以降17世紀末までの100年ほど、オスマン帝国はその勢力をだいたい維持できました。なんといってもこれはスレイマン１世の業績ですね。彼の内政・外政が脈々と引き継がれていったんです」

康熙帝

清朝最盛期を現出した賢君！

道しるべ

- 女真族の歴史を押さえよう
- 清の拡大と中国支配の流れを知ろう
- 康熙帝の内政と外政をまとめてみよう

「イルカさん、中国で一番長く皇帝に在位した人物は知っていますか？」

「いえ、知らないです。でも今回は康熙帝の話だから、答えは康熙帝ですよね」

「あ…、ぐっ…、そうなんです……」

「前漢の武帝や唐の太宗のほうが長いのかなぁと思ってたから、康熙帝は意外です」

「彼の在位は1661年から1722年、なんと61年間にわたって皇帝に在位した中国屈指の名君。でも、康熙帝のことを語るときには、まず"清"という国について理解を深めておく必要があるんです。今回も土台から解体していきましょう」

🧭 **1** 中国と北方民族

「先生、いつも思ってたのですが、講義するときって私たちにどれくらい知識がある前提で話をするんですか？　私はこの前のチンギス゠ハンの回で聞き手だったから、北方民族が中国に介入する構造はなんとなくわかっていて、清もその文脈でイメージできます。でも世界史を学んだことがない人、ちょっとしかかじったことがない人だと、まず清という国がなんなのかわかんないと思うんですよね」

「興味深い質問だ。そうですねぇ、授業に限定するとこれまでの講義に出席していることを前提としてお話しします。まあ康熙帝の場合なら、その

直前に清の台頭と中国支配を必ず話すので、流れはわかると思いますよ。ただ、それ以上の背景や原理となると……、生徒の表情を見て話すかどうか判断しますね」

「生徒が"……ん？"みたいな反応をすると、説明するとか」

「そうです」

「臨機応変なんだ。それでは、今度から"……あの、それよくわからないです"って表情を心がけますね」

「う……、講義時間内に話が終わるかなぁ。

　それではさっそく康熙帝について見ていきましょう。イルカさん、清を建てた民族はなんですか？」

「えっと、"……ん？"」

「絶対知ってるでしょ！」

「すみません、答えは女真族です。ツングース系の民族で、中国東北地方が原住地なんですよね」

「ばっちりです！　女真は中国東北地方で半農半猟の生活を送っていました」

「北方民族って遊牧民じゃないんですか？」

「いろいろあるんです。モンゴル人は騎馬遊牧民だけど商業もバリバリ行っていましたし、中国に近い地帯では農耕をします。チベット系は西域を中心に中央ユーラシアで中継交易を行いました」

「そもそもチベット系の民族は、中国から見て西方の住人ですよね」

「北方民族っていう言葉自体があいまいなのかも。中国では彼らを"塞外<ruby>塞外<rt>さいがい</rt></ruby>の民"なんて言いますしね。

　女真族はもちろん狩猟や遊牧を生業<ruby>生業<rt>なりわい</rt></ruby>にしていたんだけど、わりと早くから農耕を取り入れて漢民族の風習が浸透していたんです」

「ハイブリッドですね」

「彼らは12世紀に"金"を建てて、勢力を広げます」

「勢力を広げる……、北方民族が拡大するポイントってなんなんでしょ

う？」

「モンゴル人の話になるけど、チンギス゠ハンが高原を統一できた理由は
なんでしたか？」

「うわっ、質問返しだ。えっと、カリスマ性と……、あと統治システムで
すね。彼は千戸制っていう遊牧民をスムーズに統率するしくみをつくりま
した」

「その通り。

　女真族にもそういうシステムがあったんです。猛安・謀克っていいま
す。北方民族を組み分けして行政組織の単位とし、そこから軍隊を徴集す
る制度なんです」

「つまり租税体系を明らかにしつつ、兵力を維持したんですね」

② 女真の金

「金は中国の北宋を滅ぼします。

　ここでさらに質問。金が北宋を滅ぼした理由はなんでしょう？」

「む……問いのレベルが深くなりましたね。内容を説明させるやつだ。

　その理由はなぜかというと、うーん、生産効率の良い農耕地帯を支配し
たかったから……？」

「極論はそうです。だけどそういった根底の理屈はどちらかというと背景
にあたるかな。もう少しつっ込むと、北宋は金に対価を支払わなかったん
ですね。北宋は金に頼んで、これまた北方民族の"遼"って国をやっつけ
てもらうんだけど、そのときのお礼ができなかったんです。財政難で。そ
れで金が怒って北宋の都である開封を攻め、当時の上皇と皇帝を金に連行
しました」

「靖康の変、12世紀前半の話ですね」

「北宋が滅亡すると、宋の皇族は長江流域に逃れて南宋を建てました。そ
のあと金と和議を結んだんだけど、そのとき南宋は金に臣下の礼をとりま

す」

「女真族と君臣関係を結んだんですか？」

「そう、金が君、南宋が臣。

本来、漢民族は周辺異民族に朝貢させて、中国を宗主とする君臣関係を結ぶでしょう？　そこには歴然とした上下関係があります。でも今回はもう完全に主従が逆転してしまいました。漢民族の中華思想が揺らいでしまったんです」

「金は中国史でも重要な異民族王朝なんですね」

「その後の金は華北を支配します。イルカさん、北方民族が農耕地帯を支配するとどうなりますか？」

「統治のためには官僚制が必要です。女真族は漢民族化が進んだんですよね。すると、軍事力は弱体化しそうだ」

図3-8　金と南宋

モンゴル

黒竜江

金

金

チベット

黄河

開封

長江

南宋

「そうなんですね。金は13世紀にはモンゴルに征圧されて滅亡します。その後、明の時代にも女真族は中国の間接統治下に置かれたんです」

 3 満洲の台頭と清

「女真族は明の支配のもと、部族に分かれて自治を行っていました」

「明の支配を受けているのに自治をしているって、どういうことでしょうか？」

「的確な質問ですね。

世界史では異民族の統治が永遠の課題、彼らからは十全に徴税ができな

いんですね」

「民族が違うと言語も風習も違うから、異民族の反発は必然ですよね」

「はい、その通り。だから統一王朝はいろいろシステムを考えるんだけど、極論すると(i)圧政によって中央集権を進める、(ii)異民族の自治を容認する、のどちらかになるんです」

「古代オリエントを統一したアッシリアは異民族に対し圧政と重税を行って、結局各地の反乱をまねいて滅亡しましたよね。じゃあ(ii)の寛容な統治が最適解なのかな」

「それもケースバイケースだなぁ。何も圧政が悪いわけじゃなくて、時と場合によっては武力で押さえつけないとどうにもならないことがあるし、寛容な統治がいきすぎると各地の有力者が自分勝手なことをはじめて、帝国が崩壊する可能性もあるからね」

「そのバランス、めちゃくちゃ難しくないですか?」

「そうなんです。それで、羈縻政策といって、歴代中国王朝は異民族の自治をある程度認めながら、中央政府がその統治を監督したんですね」

「圧政と寛容の釣り合いを図ったんだ」

「その均衡が崩れたのは、17世紀でした。

女真族はこの頃になると自らを"満洲"と呼んでいたのだけど、ヌルハチという指導者の時期に強大化すると、1616年に満洲族の統一を達成します。彼は八旗という軍事・行政制度をつくって社会を維持しました。八旗は全軍を8つの旗に分けて軍団を組織するんだけど、満洲族の成年男子はすべて八旗に属して旗人となり、狩猟・牧畜民を支配しながら領地を与えられて、農地の経営も行ったんです」

「農耕も進めた女真ならではの制度だ」

「そして、次のホンタイジの時期に国号を"清"としました。1636年のことです。彼は朝鮮を服属すると内モンゴルも支配し、いよいよ中国に迫っ

たんですね」

「あの、先生。女真族は一度衰退して、モンゴルや中国の支配を受けていたわけですよね。それが17世紀に突然復活するのはなんだか腑に落ちません。ただ満洲族の勢力が拡大しただけではないですよね」

「そうですね、まず17世紀って寒冷化の時期だったから、北方民族の南下が激しくなっていました。さらに、明朝がかねてより北虜南倭、っていうモンゴルの遊牧民や日本の倭寇など外敵の侵入に苦しんでいて、国力が衰えていたんですね。そういう相対的・複合的な要因も多分にあります。

　そうして清は中国に侵入しました。

　明は李自成の乱っていう農民反乱で滅亡したのだけど、その混乱に乗じて清が南下し、1644年に中国支配をはじめたのです」

 4 康熙帝の治世

「康熙帝は1661年、8歳で即位しました」

「61年間も皇帝をするんだから、そんなに幼少でも納得です。でもほんと小さいですね」

「もちろんはじめは満洲貴族の摂政がいたんだけど、聡明な青年に成長すると16歳から親政をはじめました。

　彼の内政からはじめましょうか。イルカさん、満洲族が中国支配するときに問題となることはなんでしょうか」

「漢民族の反発です。異民族の支配は受け入れがたいですから」

「そうですね。このため満洲人は、懐柔策と威圧策で漢民族を統治するんです」

「アメとムチってやつですね」

「例えば、満漢併用制。重要官職は満洲人と漢人を同数任命しました。儒学の伝統を守って、学科試験の科挙もつづけます。漢民族を取り込んだんですね。

一方で、辮髪を強制しました。辮髪とは後頭部の一部を結んでおさげをつくる満洲人の風習なんですが、これを漢民族に強いたんです。あとは禁書を制定したり、こういうのは威圧策ですね」

「もちろん、武力蜂起も起こりますよね」

「雲南地方を中心に、漢民族が反乱を起こします。三藩の乱っていいます。首謀者の呉三桂は清が中国に侵入したときに、明を裏切って満洲人を北京へ招いた将軍なんだけど、その後は冷遇されてしまうんですよね。それで反旗を翻したんだけど、康熙帝はこれを鎮圧します。

　また鄭成功という将軍が反清復明を掲げて、台湾に逃れ抵抗しました。鄭氏台湾っていいます」

「つまり〝清には屈しないぞ、明こそが中国の王朝だぞ！〟って反発したんですね。忠義に厚い軍人だ」

「鄭成功が亡くなったあとも一族が抗争をつづけましたが、結局は康熙帝によって鎮定され、以降台湾は清の直轄になるんです」

～～～～～～～～～～～～～～～～～～～～～～

「財政では、人頭税を廃止し民衆の税負担を緩和しました」

「税制ってどのくらい税をかけるのか、その調節が難しくないですか。だって税率を下げると国庫に入る富が少なくなるでしょ？」

「政務上での無駄を省けば帳尻が取れたりするんですよ。康熙帝は、それまで政治を牛耳っていた宦官の綱紀粛正をはかりました。また運河を利用した流通網を整備し、経済を活性化させます」

「経済が回れば、自然と税収も増えそうですね」

「ええ、その通りです。支出に回すお金が足りないからといって税率を上げようとするのは、世界史では悪手の場合が多いですね。

　康熙帝は学術や文芸を愛しました。漢字を体系化した『康熙字典』や、百科事典の『古今図書集成』の編纂を命じます。学術に熱心な君主は、悪政を行うことが少ないですね」

「それはなぜですか？」

「うーん、いろんな学問を修めると、物事を体系化して多角的に見ることができるようになるからじゃないかな」

「なるほど、今日は世界史の後に数学をやろうと思います」

「イルカさん、その調子ですよ！

また、西洋の学問にも関心を持ち、イエズス会士を優遇しました。彼らは布教目的で清にもやってきていたんだけど、西洋の学問や技術を中国に紹介してくれたんですね。

中国ではじめて実測地図を作製したフランス人のブーヴェは、康熙帝を評して"美質と溌剌な精神を携えている"としています。まあ健全で有能な君主だったんです」

「康熙帝の外政はどうだったんですか」

「領域はものすごく拡大しました。外モンゴル、今のモンゴル国にあたる領土、加えてチベットを併合します」

 ⑤ 全盛期の清とその後

「あと、もう一つ大事な業績があって……、ロシアと1689年にネルチンスク条約を結び、国境を策定したんです。ロシアは17世紀から18世紀にシベリアをずっと東方へ進出して、ついにはアラスカに到達しました。そして、南下を企てると清朝と衝突しちゃったんですね」

「不凍港を求めるロシアの南下政策は有名ですね」

「はい、それで国境線が引かれました。このあたりです、地図で確認しましょう（次ページ、図3-9）」

図3-9　康熙帝の時期の勢力図

「えっと、先生、当時の中国に国境という概念はありましたか？」

「すごくいい質問なんだけど、話せば長くなるというか。あ……、ものすごく "……ん？" って表情していますね」

「ふふふ、よろしくお願いします」

「まず、中華帝国は(ⅰ)中央政府が直轄する場所、(ⅱ)周辺民族の自治を容認する藩部、(ⅲ)中国に朝貢し冊封を受ける属国、の３つの部分で構成されています」

「中華思想ですね。この考え方だと、国境という概念はあるのかないのかよくわかりません」

「その通りです。国境とは主権国家間の概念で、対等な国家どうしが領域の境界に引いた線のことですよね。ですが、中華思想によると隣接する対等な国家は認められていません。国境や領土という概念が希薄なんです」

「ネルチンスク条約は中華思想の原則に反してないでしょうか」

「つっ込んだ話をするとそうなります。もちろん17世紀後半はまだまだ清の国力が十分ありましたから、この条約で決まった国境線自体はずいぶん中国に有利なものでした。しかし、国境を策定してお互いの権限を認め合うっていうのは、主権国家の概念そのものですよね。清はあくまでもロシ

アを朝貢国の一つと考えていたけれど。

　19世紀、西欧諸国は清への進出を進めますが、その端緒がここに見られたといってもいいでしょう」

「とはいえ、清は康熙帝のあとも全盛期がつづくんですよね」

「えぇ。康熙帝のあと雍正帝、乾隆帝と賢君が出てきます」

「世界史って、有能な君主の息子はたいていバカじゃないですか」

「切れ味するどい、するどい！」

「帝政ローマの五賢帝は、自分の部下でよくできる人物を養子にしたんでしょう。そういうしくみがあったんですか？」

「康熙帝には30人を超える子がいました。それだけいれば君主に向いている者もいたんだけど、後継者問題で揉めてしまうんです」

「苦労が多そうですね」

「はじめ皇太子とした第2子は非行が多く、即位が廃案になってしまうなど、その後も皇子の間で諍いが絶えなかったんです。皇太子を立てないまま臨終の際に第4子を後継に指名したんだけど、それ以降、皇太子は遺言で明らかにする制度となりました」

「遺言……、それはそれでいろいろ陰謀が出てきそうなんだけど」

「"太子密建の制"といいます。次の雍正帝は治世中に皇太子を明らかにせず、宮殿の額裏に後継の名を封じて、死後に公表されたようです。清朝はこの制度を維持したので、暗君が生じにくかったんです」

「最盛期の君主の後は、徐々に衰退するのが世界史の常じゃないですか。でも、康熙帝のあとも清は全盛期を維持したってことは、本当の大君なんですね」

「18世紀まではとにかく繁栄をつづけます。康熙帝がその基礎を築いたんです。

　しかし19世紀には西欧諸国による侵略が進んで、清はほとんど列強の植民地になってしまいました。

　このあたりの話は長くなるので、またの機会にしましょう」

ルイ14世

ブルボン朝の絶対王政最盛期の王！

道しるべ

- ◉ヨーロッパの主権国家成立の流れを知ろう
- ◉絶対王政がなぜ生まれたのか、その経緯を押さえよう
- ◉ルイ14世の外征とその失敗を理解しよう

「羊くん、何をかぶってるんですか？」

「オスカルのウィッグですよ。『ベルサイユのばら』じゃないですか。来週 "ベルばら" の歌劇を観に行くんです」

「あぁ、男装の令嬢か……。観劇とはなかなかいい趣味ですね。ルイ14世は確かにヴェルサイユ宮殿をつくったけど、"ベルばら" はフランス革命の話ですよ。さらに1世紀ほど後の話」

「アンドレッ！」

「……と、とにかく今回はルイ14世」

1 主権とは

「羊くん、ルイ14世ってどんな印象ですか？」

「豪華で暴君！　ヴェルサイユ宮殿もそうだし、"朕は国家なり" って豪語した人ですよね。華やかで贅沢で、独裁者ってイメージです」

「彼はなぜそんなイメージなんでしょうか？」

「そりゃ王様だからです」

「王様だったら豪華で暴君になる？」

「うーん、そう言われると自信がなくなってきました。暴君かどうかはその人の資質というか、何かほかに要因があるのかもしれません」

「そうですね。"ルイ14世が暴君" となってしまった根底には、主権国家というシステムがあるんです」

「主権国家といわれると、なんだか小難しいですね。そもそも"主権"ってなんなんですか？」

「いい質問ですね。そういうコトバはきちんと定義を確認しておくといいですよ。ぜひ辞書で調べてみましょう」

「えー、調べるんですか!?　辞書引くのって気が引けるんです。読んでもよくわかんないから……。面倒だし。まあ、先生がそこまで言うなら観念して調べてみますけどね。『大辞泉』によると。

　(1)国民および領土を統治する国家の権力。統治権。

　(2)国家が他国からの干渉を受けずに独自の意思決定を行う権利。国家主権。

　(3)国家の政治を最終的に決定する権利。

　ほら、思った通り！　辞書引いても意味がわからないでしょ」

「確かに。とくに定義的用語の説明って、お堅くて抽象的な記述になりますよね」

「そうそう、文体は難しいくせにフワァって感じの説明じゃないですか。何もわからないのと同じなんです！

　だいたい(1)の統治権ってなんなんですか？　統治ってつまり一般大衆を支配することだから、原理的には政府が"富の集約と分配"を行うワケで、うーん、てことは、(1)でいう国家の権力や統治権って、つまるところ"徴税と分配"をする権限、それが国民と領土に行使できるってことですか？

　ん？　主権ってそういうことだよな」

「羊くん！　まさにそういうことですよね。統治権の定義は"徴税と分配"、いや、ほかにもいろんな機能があるんですが、ここでは世界史のセオリーに従いましょう。

　"主権"っていうのは、(1)領域内で徴税と分配の権限を有すること、(2)

ほかの国に邪魔されないこと、⑶徴税・分配の内容を決定できること、なんですよね。

　今の日本も主権国家（図３-10）だけど、領域内で均一に統治が行われているでしょ。どこにいても税額は一緒だし、同じような公共サービスを受けられるし、法律だって同じですね。それはほかの国からとやかく言われないんです」

「ぼくたちが辞書を読めない原因は、コトバの定義をあいまいにしてるからなんですか？」

「そうですね。定義をチェックしながら内容を理解する、あとは自分のコトバに置きかえて要約してみる、これも大事ですね」

「教科書が読めないのも、辞書が苦手になる構造と同じなのかも」

「主権は、ラテン語では〝superanus〟、〝上に（super）いる人（anus）〟ですから、まさに階級構造で説明できます。〝主権〟と訳した日本語はなんとなく〝権利〟ってイメージになってしまって紛らわしいんですよね」

図3-10　主権国家のイメージ

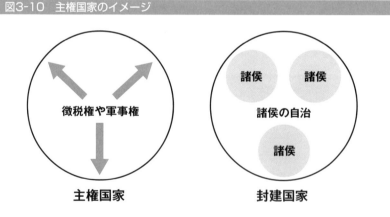

徴税権や軍事権

主権国家

諸侯

諸侯

諸侯の自治

諸侯

封建国家

❷ 主権国家の成立

「羊くん、中世ヨーロッパの封建体制ってどんなものでしたっけ」

「わかりますよ。君主と地方の有力者が、封土と軍役、土地を介した関係で成り立っている地方分権制度です。ジャンヌ゠ダルクの回で学びました、ふふん」

「その通り。この時代の国って主権国家とはいえないですよね。

　中世では地方領主の裁量で領内の税率や法が決定されます。意思決定権は国家になかったんです。それはフランスやイギリスでも同じで、日本の江戸時代だってそうでしょう？」

「場所が違えば、例えば薩摩藩と津軽藩では、年貢の割合も刑罰の内容も異なりますよね」

「だけど15世紀頃、近世の時期から徐々に西欧諸国は主権国家の様相を見せはじめます。領域内で同じように主権が行使できるようになりました」

「なんでまたそんなことになったんですか？」

「十字軍や百年戦争で、領主層が没落しちゃったんですね。軍事行動が長引くと、参戦した騎士の勢力が衰えました。遠征中に所有地が荒れたりしてね。ほかにも火薬の登場が戦術を変化させたのも一因です。もう騎士が要らなくなっちゃった。あとは……、大航海時代で商業が活性化すると西欧の物価が上がったんだけど、領主層は同じ額の固定地代しかもらえなかったんです。そういう複合的な要素で領主が落ちぶれていきました。

　他方、教会の腐敗やルターの宗教改革でローマ教皇の権威が失墜しました。目の上のたんこぶであった教皇が下がってくれたおかげで……」

「相対的に国王の権限が上がったんですね」

「フランスでは、百年戦争に勝利したシャルル７世が官僚制と常備軍を整備しました。そういえば、ジャンヌ゠ダルクの回で話題にあがりました

ね。"主権は、徴税権と軍事権"と、とりあえず定義し、官僚システムによってきちんと富を回収、その背景に常備軍の軍事力を使うって説明しました」

「覚えていますよ、あのときはそんな風に定義していいのかってちょっと思ったんだけど、今回で腑に落ちました」

「主権ってほかにもいろんな機能があるんだけど、ぶった切って話したんです。立法権、行政権、外交権、これらすべては軍事力でなんとかなったりするんです」

「うわ、ちょっとデンジャーな考え方っぽいですが」

「軍事がすべてを上回る、危険な思想ですよね。でも世界史を学んでいると納得できるんじゃないですか？　軍事力っていうと外国との戦争に使うイメージですが、国内向けには秩序を守るため、例えば徴税を拒むやつとか、ルールを破るやつを抑止するパワーとして効力を発揮するんです」

「ふむふむ、主権国家は、領域内に徴税権と軍事権を等しく行使する、そのために官僚制と常備軍を整備する。こういう理解でOKでしょうか？」

「その通り！」

3 絶対王政

「先生、主権国家についてはなんとなくわかったんですが、まだルイ14世にはあんまり結びつかないですね……」

「話はこれからなんです！　ここからは絶対王政がテーマ。

　さて羊くん、主権国家がぶち当たる問題ってなんでしょうか」

「主権国家では、領域内の統治を均一に行えるんですよね」

「まあ、いきなり移行したワケじゃないけどね。徐々にですが」

「そうすると、地方の有力者が反発しますよね。これまで領地の支配を進めていたんですから。あと一般大衆ももちろん嫌がります。なんの権限があって俺たちから徴税するんだ!?　ちゃんとした正当性があるんですか!?

ってね」

「そうですよね。そこで絶対王政って考え方が出てくるんですよ。君主に絶対的な権力を付与し、中央集権を維持しました。だいたい1500年頃から鮮明にあらわれる考え方で、フランスのブルボン朝がその全盛といわれています」

「ものすごいパワーやオーラを持つ王が支配しているのだから、その主権に反発したらヤバいんだよ、ってことですか」

「そうそう、パワーとかオーラって表現がいいですね。王に絶対的な権力・権威を与えて、領域内の均一な支配を確立したんです」

「誰がそんな権力を与えるんですか？」

「王権神授説って聞いたことがありますね。国王の権力は神が授けたものって考えて絶対王政を正当化しました」

「ん？　ちょっと待ってください。神が王に権力を与えるってのは、中世でもおんなじですよね。カールの戴冠とか、まさに神が権力を授けています」

「するどい。その時代には、教皇が権威的に王の上にいたんです。神の権威は教皇を通して王に与えられました。国王の権力はカトリック教会の後ろ盾ありきだったんですね。ところが、教皇の権威が低下して状況が変わりました」

「なるほど。近世では主権国家が形成されてゆき、国家が領域を一元的にマネジメントする。このために絶対王政をとる。王権神授説でシステムを擁護する。そうして、ルイ14世の時代にその最盛期を迎えるってことですね」

「その通りだ、オスカル！」

 4 「太陽王」ルイ14世

「ルイ14世は、1638年にルイ13世とその王妃アンヌの子として生を享けま

した。両親の結婚から20余年で生まれた子だったから“天からの賜物”と
呼ばれます。父の死により5歳で即位すると母が摂政となり、実権は宰相
マザランが握りました。彼は実に優秀で、外交的な手腕を発揮します。三
十年戦争ではウェストファリア条約の締結に参加し、領土を拡大しまし
た。この条約は主権国家間のはじめての条約といわれていて、受験世界史
でもよく問われるんですよ」

「“受験で問われる”って魔法のコトバですね。メモしておきます！」

「ただ、ルイ14世が幼少の頃には王権に抵抗する貴族たちの反乱が起き
て、国王一家は何度も窮地に立たされました。フロンドの乱っていいま
す。ルイも寝室に敵がなだれ込んで恐ろしい目にあったので、それで終生
パリに敵意を持っていたようです」

「国王って大変だ。なるべくやりたくないです」

「この前は“国王になりたいっ！”とか言ってたじゃないですか！

　1661年にマザランが死去すると、ルイ14世は親政をはじめました。親
政とは自分で政治を執りしきることですね。太陽王とよばれた彼は、ブル
ボン朝絶対王政の黄金期を現出します。“朕は国家なり”っていうセリフ
は有名ですよね。お抱えの学者が王権神授説を唱え、王の権限を膨張させ
たんです。内政ではコルベールを財務総監に任命し、重商主義政策を進
めました」

「重商主義ってなんですか？」

「国家が経済活動に介入することです。といっても、この説明だけだとよ
く理解できないですね。羊くん、国家の収入で一番大きいものはなんです
か」

「そりゃ国民の税金です」

「そうですね、だけどそれだけじゃ足りないんです。主権国家では官僚制
と常備軍を維持する必要があり、とにかく費用がかかった。そこで租税以

外の財源が必要だったんです。現代では〝国債〟が大きな部分を占めているんですが、絶対王政期には重商主義政策がとられました。政府お墨付きの企業をつくって、農業の推進、貴金属の採掘、手工業の工場を運営して、率先して貿易を行うんです。

　フランスではコルベールが東インド会社を再建します」

「東インド会社は聞いたことがあります。国営企業だったんですか？」

「特権企業ですね。東インド会社は各国につくられたんだけど、そこが独占的に交易を行って、その利益を国庫に充当するワケ。フランスでは東インド会社を中心に植民地の開拓も大きく進みました。

　また大規模な土木事業を行います。ヴェルサイユ宮殿は着工から完成まで何十年もかかったんですが、その豪華なつくりは諸外国の宮廷に大きなインパクトを与えました」

「以降、各国はフランスの宮廷文化を真似するんですよね。こんな感じでかつらをつけるとか。さらり」

「まさかそのためにウィッグを用意したんですか……。オスカルのような髪型は珍しかったと思いますが、ルイ14世の有名な肖像画もかつらをかぶってます」

「ヴェルサイユ宮殿は豪華壮麗、なんといっても〝ベルばら〟の舞台です。アンドレッ！」

「す、好きですね……。ヴェルサイユ宮殿はその後も歴史で何度もあらわれるので、ぜひ図説などで宮殿内の様子をチェックしておいてくださいね。というか、いつか行ってみてください。

　宗教政策では自身を〝神の代理人〟として、教会を利用しました」

「ローマ教皇がいるのにそんなことしていいんですか？」

「そうですね、もちろん教皇との関係は悪化したんだけど、王権神授説をもとにカトリック教会の組織を用いたんですね」

「国王の業績を見ると、今のところそこまで暴君っぽくはないですね。人物の評価は表裏一体。うまくいかなかったところもあったんでしょ？」

「講義では対外侵略戦争とその失敗を強調してます。とにかく彼は戦争を王の天職と考え、征服戦争を繰り返したんです。

　王位継承問題で南ネーデルラントに、海上覇権を巡ってオランダに侵略戦争を起こすものの、得るものが少なく失敗に終わりました。ドイツではファルツ公の継承問題に介入し、ライン川まで侵攻しましたが、これまた失敗に終わって獲得した領土を返還します。

　極めつきはスペイン継承戦争でした。スペインのハプスブルク家が断絶すると、ルイ14世は自身の孫を即位させようとして、周辺諸国の反発を招いたんです」

「スペインがブルボン朝になると、国際関係のバランスが悪くなりますもんね」

「そうそう。それで戦争に発展したのだけど、フランスは敗北してしまいます。孫のフェリペ5世の即位は認められたものの、フランスとスペインの合併は禁止、さらに多くの海外領土を失いました。

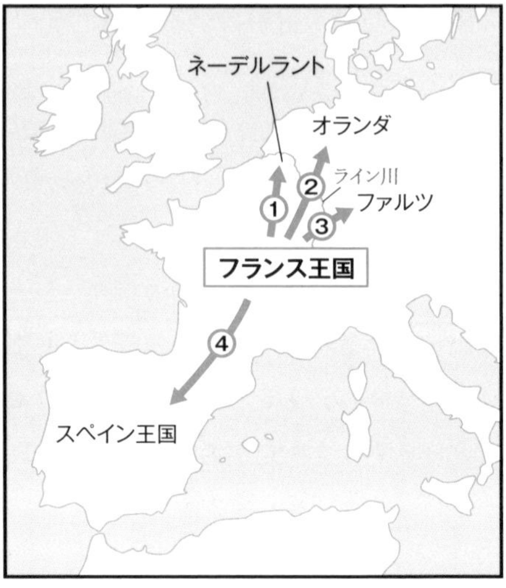

　対外侵略戦争っていうくらいだから、その状況を地図（図3-11）で確認してみましょう」

「スペインはブルボン朝になったんですね」

「その後紆余曲折があるんですが、じつは今のスペイン王国も

図3-11　ルイ14世の対外侵略戦争

ネーデルラント

オランダ

ライン川
②
ファルツ
①
③

フランス王国

④

スペイン王国

ブルボン朝なんですよ。

　さて羊くん、国家財政で一番お金がかかるのはなんですか？」

「軍事費ですよね。兵士を常備し、武器を備えるのは費用がかさみそう！」

「はい、そうです。とにかく軍事費が国家財政の大部分を占めるんです。フランスは対外戦争を繰り返したために財政が窮乏しました」

「しかも宮廷は贅沢三昧で、財政難に拍車がかかったんですね」

「ルイ14世の治世末期には国家財政が実質的に破綻してしまいます。軍事費用の圧迫により国家が傾いてしまうのは古今東西同じ、漢王朝もローマ帝国も軍事費問題が衰退の発端になりました。

　またルイ14世はカトリックを中心に宗教政策を進めましたね。それでユグノーを弾圧するんですよ」

「ユグノー……、ちょっと待ってくださいね。宗教改革以降はルター派以外にカルヴァン派が広がって商工業者に受け入れられたんですよね。カルヴァン派は各地で呼び名が違って、イングランドではピューリタン……、フランスでは……ユグノーですね！　テストでは満点だ」

「大量のユグノーが国外に亡命して経済は停滞しました。ルイ14世の時期にフランスの国家財政は悪化し、社会も疲弊していきます。国民は日に日に貧しくなり、彼らの恨みを買ってしまったんです。

　それはルイ15世からルイ16世とつづいて、結局は18世紀末のフランス革命に至りました」

「なるほどなぁ、ルイ14世の時代はもちろん絶対王政最盛期だけど、露骨に衰退の兆しが見てとれますね。彼の人となりはどうだったんですか」

「威厳に満ち溢れてカリスマ性があったといわれていますが、傲慢でわがままだったのはどうも事実らしいです。私生活では何人も庶子がいて、いろいろ気苦労が多かったみたい。一方で、一日を規則正しく行動するな

ど、律儀な性格も見てとれます。

　ただ国民からは嫌われてました。彼の外政や奢侈により、民衆の生活はみるみる苦しくなりましたからね。ルイ14世が亡くなったときには、歓声があがったほどなんです」

「それはつらい。

　先生、世界史の人物を学んでいて一つ考えていたことなんですが、その人が別人であっても歴史って同じような流れというか結果になっちゃいませんか。今回のルイ14世の場合は、主権国家や絶対王政が形成された背景があってルイ14世が登場したワケだけど、誰がやっても王権神授説を信奉しちゃうし、対外侵略戦争を進めちゃう気がするんです」

「……つまり、歴史の動きには個人的要素はあんまり関係がなく、いろんなファクターが反応した結果、同じようなことが起こるのでは？と考えるんですね」

「うーん、そこになんらかの規則性があるような気がするんです」

「いわんとしていることはよくわかります。化学反応のように対照実験ができないから、どこまで確認できるかいまいち自信がないですけど。

　じつは絶対王政における王権って"見かけ上"といわれることがあるんです。実際に政治を行うのは中間団体、これを社団といったりするんだけど、各地の聖職者や貴族が中央集権の手先になって富を集約する、その権限行使をスムーズにするため王権が用いられたワケで、実際には王の権力は"見かけ上"と考える説です」

「国王はしかけの一つだったってことですか？」

「そう、この構造だと階級ピラミッドの上のほう、特権身分にやっぱり富がプールされるから、フランス革命につづく歴史の流れは抗いようがなかったように思います」

「そう考えると、ルイ14世の評価に新しい視点が加わりますよね。今回もいろいろ考えさせられる内容でした。ありがとうございます」

「ところで、そのウィッグは、いつまでかぶってるんですか……」

図3-12　ヴェルサイユ宮殿の鏡の間

第4章

近現代

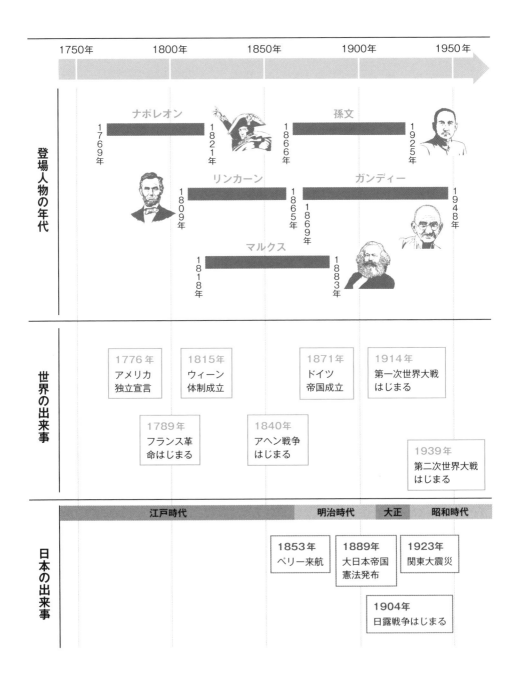

登場人物の年代

ナポレオン 1769年—1821年

リンカーン 1809年—1865年

マルクス 1818年—1883年

孫文 1866年—1925年

ガンディー 1869年—1948年

世界の出来事

1776年 アメリカ独立宣言

1789年 フランス革命はじまる

1815年 ウィーン体制成立

1840年 アヘン戦争はじまる

1871年 ドイツ帝国成立

1914年 第一次世界大戦はじまる

1939年 第二次世界大戦はじまる

日本の出来事

江戸時代　明治時代　大正　昭和時代

1853年 ペリー来航

1889年 大日本帝国憲法発布

1904年 日露戦争はじまる

1923年 関東大震災

ナポレオン

フランス革命を収拾し、皇帝に即位した！

道しるべ

- フランス革命の流れをおおまかにチェックしよう
- ナポレオンの内政と外政をまとめてみよう
- ナポレオンの歴史的意義とはなんだろうか

「イルカさん、ナポレオンです。大変だ……」

「そんなに深刻なんですか!?」

「ものすごい有名人でしょ。誰でも知ってるレベルじゃないですか」

「うちの三毛猫でも知ってそうな感じではあります。だけど実態がよくわからない、いったい何が偉大なのかよくわからないのがナポレオンですよね」

「そう、彼こそ歴史の流れで理解しないといけない人物。とはいえ、その背景にはフランス革命があって、これがまたつかみどころがないんですよね」

「なるほど、世界史講師の腕の見せどころだ」

「ぐぐっ…、がんばります。このテーマ授業でとりあげましたっけ？」

「はい、私は一通り学んだので、フランス革命からナポレオン時代の歴史用語は知ってます。だけど知識が有機的につながってないというか、なんとなくぼんやりとしかわかってません。時系列で体系化できてないのかな……」

「完璧な自己分析……。フランス革命からの歴史を学んで、ナポレオンの理解を深めていきましょう」

1 フランスの矛盾

「イルカさん、フランス革命を簡潔に説明するならどうしますか？」

「うーん、難しいですね。あんなに長い歴史をシンプルに話すとなると

……。

"王政が共和政となった"これでどうですか」

「素晴らしいですね。それ以上短くできないでしょう。フランス革命の要旨にナポレオンの歴史を加えると以下のようになります。

"フランスでは革命により王政が共和政となるも、革命政権が混乱するとナポレオンが台頭し、帝政をはじめてヨーロッパを支配したが、諸国の反発にあい失脚した"」

「長いです」

「いやいや、これでもかなり頑張ったんですよ！　とにかくナポレオンの話は要約の後半ばかりがクローズアップされて、前半がおろそかになってるんですよね。だからわかりにくいんです。まずはフランス革命からお話ししましょう」

──────────

「この当時のフランスは旧体制、アンシャン=レジーム（図4-1）が色濃く残る国でした。第一身分の聖職者、第二身分の貴族、ここまでが特権身分とされて、第三身分の平民を支配しています。フランス革命って、第三身分が特権身分をぶっ倒す構図なんですね」

図4-1　アンシャン=レジームの構造

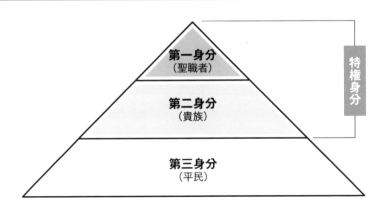

「特権階級に対して不満があるのはわかるんだけど、いったい何が気に食わなかったんだろう」

「免税特権です。世界史において支配者階層の既得権益といったら、免税と考えてください。江戸時代でも武士の特権は〝斬り捨て御免〟とかいわれますけど、その本質は非課税にあったんです」

「現代社会でも同じですか？」

「う……、答えづらい質問。

　ブルボン朝は対外戦争ばかりしていたから、軍事費がかかって財政が窮乏していました」

「第三身分からは、もはや徴税できなくなっていたんですよね。特権身分への課税やむなしって感じでしょうか」

「その通り。当時の国王ルイ16世は、財務総監のネッケルから特権身分への課税を提案されるんだけど、上位身分の反発を恐れて課税に踏みきれなかったんです。それで長らく開かれていなかった三部会を開催し、課税すべきか否かを問いました」

「特権身分の反対でどうしたって紛糾しますよね」

「そう、身分間の対立で三部会は決裂するんだけど、怒りがおさまらない第三身分が集まって国民議会っていう新しい議会をつくっちゃったんです。〝憲法をつくるまで諦めへんっ！〟って息まきました」

「なんで関西弁なんですか？」

2 フランス革命の勃発

「先生、まだフランス革命ははじまってませんよね」

「そう。国民議会の設立はヴェルサイユでの動きなんです。宮殿の球戯場にみんなが集まって、憲法をつくるまでは議会を解散しないと誓いあいました」

「で、その熱気がパリに広がったんだ」

「特権身分に課税するしかないと進言したネッケルが罷免(ひめん)されてしまって、パリ市民が激高したんです。市民が暴れだすとマズいので、ルイ16世の側近たちはパリに軍隊を進駐させました」

「火に油を注いでませんか」

「国王軍による弾圧を恐れた市民がバスティーユ牢獄(ろうごく)を襲撃して、1789年の7月14日、ついにフランス革命の火蓋(ひぶた)が切られます」

「バスティーユのくだりはわかるんだけど、この後の流れもなんだか釈然としないんですよね。いったいみんな何がしたかったんですか」

「国民議会はとにかく憲法をつくって、旧体制を打ち破ろうとしたんです。ただ、市民や農民はベクトルが違ったんですね。

　もしイルカさんがフランスの農民だとして、パリで革命がはじまったらどうしますか？」

「うーん、暴動が波及するかもしれないので、農作物を蓄えて万が一に備えますね。もしくは革命の波に乗じて領主を倒しちゃうかな、チャンスだし」

「そう、そうです！　それを"大恐怖"といいます。つまり農民がパニックを起こしちゃったんです。

　各地に暴動が拡大するわ、農民が作物を囲っちゃうわで、社会が混乱しました。物価もババーンと上がっちゃったんです」

「想定外の状況ですね」

「それで、国民議会は"封建的特権の廃止"を宣言します。アンシャン＝レジームを改める、領主制や教会への献金も廃止、まずは落ち着いてくれへんか！と国民にアナウンスしたんですね」

「今回は関西弁でいくんですね。

　もしかして、人権宣言も民衆の暴動を落ち着かせるためなんですか？」

「ええ、有名なフランス人権宣言もそうです。とにかく暴動がはじまったワケだから、国内外に革命の正当性を掲げなければなりませんでした。そうでもしないと示しがつかないってやつ。このため、宣言にはとてもかっ

こいい文言が使われているんですね。"人間のもつ譲渡不可能、かつ神聖な自然権を、荘重な宣言によって提示することを決意した"みたいな」

「逆に何を言ってるのか、よくわかんなくなっちゃってますね」

「その後も国王一家は相変わらずヴェルサイユ宮殿にひきこもって、改革に我関せずの姿勢だったから、女性を中心としたパリ市民がヴェルサイユまで乗り込んでいって、国王一家をパリに連れ戻してしまったんです。ヴェルサイユ行進といいます」

「マリ゠アントワネットが"パンないんやったら、お菓子食べればええやん"って言ったやつですね」

「イルカさん、関西弁がうつってますよ……。
　この事件の後は、フランス革命って一度情勢が落ち着くんですよね」

「落ち着く？　暴動は収まったってことですか」

「そうそう。聖職者の公務員化とか、ギルド制の解体とか、1789年の秋からは旧体制の解体をいろいろ進めていきます。このあたりのアクセル＆ブレーキがフランス革命の複雑なところなんですよ」

「ふぅん、なるほど。改革を進めた時期もフランス"革命"っていうから、わかりにくいんじゃないかな」

「ぐっ……。革命のテンポが穏やかになったのは、改革派と国王派の争いが一時的に鎮静化したからなんですね。ミラボーっていう改革派の議員が、国民議会とルイ16世とその側近をパイプとしてつなぎ、勢力のバランスがとれていたんです」

「それって危険ですよね。もしその調停役がいなくなったら一気に情勢が動きそう」

「そうなんです。彼が急死し、フランス革命は風雲急を告げます」

169

「ルイ16世はうろたえました。改革派が自分のことを捕まえに来るかもしれない。そこで国王は王妃の故郷オーストリアへの逃亡を企てます」

「ヴァレンヌ逃亡事件ってやつですね。失敗するんですよね」

「国王一家は国境の手前であえなく捕まります。それで、ルイ16世に対する国民の支持が急落しちゃったんですね。例えば受験前にぼくが逃亡したらいやでしょ？」

「すぐに見切りますね」

「そうですか……。一方で逃亡事件を見て、周りの国がクレームをつけてくるんです」

「革命が自国に広がると困るからですか？」

「その通り。オーストリアやプロイセンが"フランス国王を大切にせいっ！　革命は不当や！"って脅してくるんです。要求に応じない場合は武力行使もいとわない、とフランスに迫りました。ピルニッツ宣言といいます。これに慌てた国民議会は、すぐに1791年憲法を採択しました」

「ついに目的が果たされたんですね」

「そうなんだけど、この憲法って革命の成果を反映させながら、立憲君主政と制限選挙を規定した保守的なものだったんです」

「んん？　フランス革命は第三身分を中心に行われたんですよね。ってことは、共和政になるのが道理じゃないんですか。国王への不信感も高まっているワケだし」

「まさにそうです。けれど、1791年憲法では原理として王政がとられました。

　さっきフランス革命は第三身分が中心って言いましたよね。でも、その第三身分にも格差があったんです。有産市民層、つまりブルジョワジーが台頭していて、彼らは特権身分と同じ待遇を求めました。また農民のなかにも地主と貧農の差が広がっていました。革命を主導した第三身分の上層

は、ある程度の利益を確保できていたから、これ以上の急進化を望まなかったんです。このため王政は継続されたし、選挙は一定額の納税をしている者たちだけの制限選挙になりました」

「革命しても、結局はピラミッド型の構造になっちゃうんだ」

「さて、憲法を制定した国民議会は解散して、新たに立法議会が成立します。さらなる改革を進めようとしました」

「革命の停止を求める諸外国にケンカを売っていますね」

「そうですね。この頃立法議会は、王政維持のフイヤン派と、共和政志向のジロンド派に分かれて対立するようになります。それで国外に意識を向けて対立を緩和させようと、ジロンド派内閣は戦争をはじめるんですね。オーストリアに宣戦布告しました」

「諸外国との戦争に発展しちゃったんだ」

「"革命戦争"っていいます。

　はじめフランスは劣勢だったんだけど、議会左派のジャコバン゠クラブ、このなかでも最も過激な山岳派が各地で義勇兵を募って勢力を拡大しました。彼らジャコバン派は演説がうまかったんです。ラディカルな論説は大衆に受けますからね。

　そしてジャコバン派は義勇兵や無産市民をひきつれて国王の居城に侵入し、ルイ16世一家を捕縛しました。ここにブルボン朝の王権が停止します」

「8月10日事件ですね。革命のギアが急にあがってきました」

「急進派は普通選挙により国民公会を招集し、王政の廃止と第一共和政の成立を宣言します。そして翌1793年、ルイ16世をギロチンにかけたのです」

「ついに国王を処刑するに至りました。諸外国はこれに反発して、対仏大同盟というフランス包囲網を形成します」

「さすがに王を刑に処するのはマズいですよね、こっちに飛び火するかもしれませんし」

「フランス革命がややこしいのは、以降も国内では改革を進めるのに、対外的には革命戦争を継続する、このベクトルの多さにあるんですよね。

　イルカさん、国民公会の特徴はなんでしょうか」

「特徴……。革命のアクセルが全開なワケだから、とにかく第三身分重視ってことですか」

「その通り！　第三身分のボリュームゾーンに焦点をあてて改革が進められます。主導者ロベスピエールを中心として、国民公会では“いきすぎた改革”が行われるのです。

　例えば1793年憲法が制定され、共和政と男性普通選挙が盛り込まれました」

「1791年憲法とは内容がずいぶん違いますね」

「第三身分への配慮がなされたんです。また地代も無償で廃止しました。全国の農民が土地を持つこととなり、中世よりつづく領主と農奴の関係が解消されたんですね。そのほか生活必需品の最高価格を決め、革命暦を制定するなど、社会の統制を引きしめます」

「ストイックだ。彼が部活のキャプテンだと、部員はついてこれないんじゃないかな」

「息苦しいですよね。“それはちょっとやりすぎなんじゃないか……？”といさめる仲間を、ロベスピエールは次々と処刑していきました。恐怖政治を執るんです。

　それに国民が反発しました。農民たちは土地を得たことでこれ以上の革命を望まなかったし、中小ブルジョワジーは最高価格令でモノが思うように売れず、思惑が外れたんですね。1794年にはクーデターが起こりロベスピエールは処刑され、ジャコバン派が失脚しました。テルミドール９日の

クーデターっていいます」

「オーバーランした改革への反動ってことですね。フランス革命って綱引きみたい」

 ## 4 ナポレオンの台頭と統領政府

「先生、今回こそぜんぜんナポレオンが出てこないですね。フランス革命のことはよくわかったんだけど、尺は大丈夫ですか？」

「メタ視点……、もうすぐ出ます！

　さて、1795年憲法が制定され、総裁政府が成立しました。新しい憲法は共和政を規定してるんだけど、制限選挙をとってブルジョワジーに配慮したんです」

「結局そこに落ち着くワケですね」

「とにかく政情が不安定なんですよ。ブルジョワジーと下層民は相変わらず対立するし、王党派は各地で不穏な動きを見せました。改革のため財政赤字が常態化する一方、革命戦争はつづいている。陰謀事件が幾度と起こり、とにかくてんやわんやの情勢だったんです」

「このタイミングで登場するのがナポレオンなんですね」

「えぇ、その通り。若きナポレオンが動乱のさなか台頭し、フランスを立てなおすライジング゠スターとなったのです」

「ライジング゠スターって……」

「ナポレオン゠ボナパルトは1769年にコルシカ島の小貴族の次男として生を享けました。当時この島はフランス領で、少年時代は本土の兵学校に学びます」

「コルシカ訛りを馬鹿にされ、教室の隅っこのほうで本ばかり読んでいる少年だったんですよね」

173

図4-2　ナポレオン帝国の最大領域

凡例:
- フランス帝国
- ナポレオンに従属した国
- ナポレオンの同盟国

「そうみたいですね。無口で友人が少なかった。とくに貴族の子息と反りが合わず、生涯通じて反骨精神を持ったとか。

　20歳のときにフランス革命が勃発すると、コルシカに帰ってのらりくらり過ごしていたんですが、ジャコバン派にコネクションを得て24歳で革命軍に入隊しました。とくに何もせず大尉に昇進します」

「才能が目にとまったんだ」

「うーん、どうでしょう。この頃はフランス革命が急進化し、多くの貴族が国外に亡命していたから、将官不足のために抜擢されたっていうのが本当のところです。それまでは、将官って貴族の世襲が一般的でした」

「なるほど、革命が背景にあったんですね」

「ナポレオンの初陣はトゥーロン攻囲戦です」

「"港を狙うんやったら、あっちの丘を先に占領せい！"っていうナポレオンの提案を、無能な上官が却下したやつですよね」

「関西弁がだいぶ板についてきましたね。

　ナポレオンの作戦を採用すると、あっという間に勝てちゃったんです。彼の英雄的な活躍の報は瞬く間にフランス中へ伝えられました。

　しかしテルミドール９日のクーデターでジャコバン派が失脚すると、ロ

ベスピエールと関わりがあったナポレオンは一時投獄されます」

「フランス革命の流れを知っておくと、動きがよくわかりますね」

~~~~~~~~~~~~~~~~~~~~~~~~~~~~~~~~

「総裁政府は政情が不安定でしたね。各地で王党派が反抗姿勢を見せています。ナポレオンは復隊を請われ、反乱の鎮圧に功をあげました。そうしてナポレオンはオーストリア討伐のイタリア遠征で、軍司令官に大抜擢されたんです。ここでも軍功をたてたナポレオン、フランス政府の意向を無視してオーストリアと講和交渉を行い、第一回対仏大同盟を崩壊させました」

「ナポレオンの軍隊ってやたら強いじゃないですか。あれは何かカラクリがあるんでしょうか」

「彼の兵隊は国民軍なんですよね。士気が高くて、高度な戦術を実行できたんです。それまでの常備軍っていろんな地方から集められた兵士だったから、国家に対する帰属意識が弱くて、指揮系統にばらつきがあったり連絡がうまくいかなかったりしたんです。

　フランス革命では人権宣言という"理念"を掲げて革命戦争を進めました。"祖国を守るため"に集まった国民軍は、意思が統一され逆境をはね返します。彼らはナポレオンの忠実な兵士として数々の戦いに勝利しました」

「なるほど、それで連戦連勝だったワケだ」

「ナポレオンは、イギリスとインドの連絡を絶つためにエジプトに遠征しました。しかし、このタイミングで総裁政府が国民の支持を完全に失うと、フランスに帰国してブリュメール18日のクーデターを起こし、1799年に統領政府を設立します」

「ついに政治の実権を握ったんですね」

~~~~~~~~~~~~~~~~~~~~~~~~~~~~~~~~

「第一統領に就いたナポレオンは、国内政治の安定に努めました。革命がはじまって10年も経ったし、革命戦争はつづいている。“ここいらでひとつ落ち着かせねぇといけねぇな！”って感じで、情勢の鎮静化をはかったんです」

「先生、江戸っ子になってます。

　でもまだ国外的には戦闘が収まってないですよね。国内政治を重視するなら、諸外国と和平を結ぶ必要があるんじゃないですか？」

「そう。ナポレオンはオーストリアやイギリスと和解し、対仏同盟をまたもや解体させました。ほかにも、ローマ゠カトリックと宗教和約コンコルダートを締結し、教会とも仲直りします」

「カトリックとケンカでもしてたんですか？」

「フランス革命って旧体制の打破が目標なんですよね。聖職者から権限を奪うワケだから、自然と教会と対立関係になっちゃうんです。国民公会の時代には理性崇拝宗教を創始し、カトリックから離脱したしね。けれど、フランスの大多数はカトリックを信仰しているじゃないですか。国内の統治を落ち着かせるためには、教会と和解する必要があったんです」

「なるほど」

「国内的には重要政策が目白押しなんですが……。フランス銀行を設立し、のちにここが唯一の発券銀行となって国家財政が安定しました。また公教育制度を整備します。地方ごとにバラバラだった方言の標準語化が進み、国語や歴史の学習によってフランス国民としての意識が高まったのです」

「国民意識が高まると、国民軍はさらにパワーアップですよね」

「そう、フランス革命とナポレオンの歴史的功績は、国民意識、つまり“ナショナリズム”の広がりにあるんです。フランス国民という意識によって統治の一元化をさらに深化させたんですよね。

　そして1804年にはフランス民法典、いわゆるナポレオン法典が成立しました」

「ナポレオンが "ぼくの栄誉はこの民法典や！" って言ったやつ」

「関西弁の初志貫徹ですね……。

　フランス民法典は革命の成果を反映した法典になりました。アンシャン＝レジームを解体し、どのような体制になったのか、一つひとつ明文化したんですね。これを "自由主義" といいます。イルカさん、ナショナリズムと自由主義の２つのコトバ、ぜひ覚えておいてくださいね」

「19世紀のテーマですね」

 ## ⑤ 第一帝政とナポレオンの失脚

「ナポレオンの名声はとどまるところを知りません。1804年、国民投票によって皇帝ナポレオン１世が即位し、第一帝政がはじまりました」

「ついに帝政……。フランス革命は王政だったのが共和政になったんですよね。それが最終的に帝政になるなんて、なんだか不可思議です。

　国民投票ってことはナポレオンの戴冠は歴史の流れと取り巻きの問題が

図4-3　ナポレオンの戴冠式

出典：ジャック＝ルイ・ダヴィッド／ルーヴル美術館収蔵

大きかったんですか？」

「もちろんナポレオンの野心もかなり反映されているんだけど、それにフランス革命の遍歴が絡んで化学反応を示したんですよね。

　帝政がはじまると、諸外国によってまたもや対仏大同盟が組まれます。以降フランスは征服戦争を拡大していきました。ナポレオン戦争は内陸方向に進んでいきます」

「イギリスには劣勢だったんですよね」

「海上で後手に回りました。トラファルガーの海戦でイギリス海軍に敗北したんです。一方、陸で行われる戦いには無敵状態、アウステルリッツの三帝会戦ではオーストリア、ロシアの連合軍に勝利します。この結果、神聖ローマ帝国は解体され、ナポレオンは追従するドイツ諸侯を束ねてライン同盟を結成しました。またプロイセンとロシアを破って領土を没収し、ワルシャワ大公国を建設したんですね」

「あの、先生ちょっといいですか。アレクサンドロスのときも思ったんだけど、世界史って一気に拡大するときがありますよね。イスラーム世界の聖戦ジハードのときもそうだったかな。アレって軍事力だけじゃ説明がつかないと思います」

「良い質問！　イルカさん、フランス革命とナポレオンの歴史的な功績ってなんでしたか？」

「自由主義とナショナリズムです。自由主義はアンシャン゠レジームの打破、ナショナリズムは国民主義ですよね」

「その通り。ナポレオンの軍事行動は、この２枚の看板を両手に掲げて行われたと考えてください。ドイツやロシアには、それまでの旧体制に支配され、民族が国家をつくれない地域がたくさんあったんです。神聖ローマ帝国は領邦諸侯が分立状態だった。彼らはナポレオンが持ち込んだ自由主義の旗の下、近代化を行います。またプロイセンやロシアに支配されていたポーランドではナショナリズムが高揚しました」

「彼が広めた主義思想に迎合したワケですね。それでナポレオン支配を受

け入れるっていう構造なんだ」

「ナポレオンはオランダやスペインなどで自身の親族を王に即位させ、ヨーロッパ支配を確立し、各地で専制支配を進めました。自由と国民主義を掲げたナポレオンは、逆に各地の自由・民族を抑圧するんですね」

「うーん、なんだか自由主義とナショナリズムを使って征服領域を拡大するのは危ない気がします」

「……というと？」

「パンドラの箱になってませんか。はじめフランスとナポレオンが2つの思想でもって改革と征服を行ったんですよね。それでヨーロッパを支配した。でもその思想が各地に広がると、今度は彼らが近代化し国民国家をつくる番ですよね。封建体制を打ち破る理念、ナショナリズムで強化される軍隊。諸国の逆襲は目に見えてますよ」

～～～～～～～～～～～～～～～～～～～～～～～～～

「その通りの展開になるんですね。スペインではナポレオンの支配に対し反乱が起こります。ここでのゲリラ戦がフランス軍と軍事費を圧迫しました。またナポレオンは大陸封鎖令といって、フランス帝国と同盟国にイギリスとの通商を禁止する法令を発したんだけど、ロシアがこれを無視したんです」

「穀物の輸出でもってる国だから、イギリスとの貿易を禁止されたらマズいです」

「そう、それでイギリスとの交易をつづけるんだけど、これに対してナポレオンは1812年にロシア遠征を敢行するんです。モスクワ目指して60万の軍勢を進軍させたんだけど、ロシア軍はモスクワから退却してフランスは得るものがなく、冬将軍と退却戦で軍は壊滅し、大失敗に終わったんです」

「ナポレオン時代は終焉に向かうんですね」

「解放戦争が起こります。ライプツィヒの戦いでナポレオンはオーストリ

ア、プロイセン、ロシアの連合軍に敗れてしまうんですね。彼はイタリア半島西部のエルバ島に流刑となり、フランスではルイ18世が即位してブルボン朝が復古します」

「フランスはブルボン朝の王政だったのが共和政になり、それがナポレオン帝政となって、最終的にブルボン朝に戻るんですか!?」

「そう、ルイ18世はルイ16世の弟、16が18になったかたちです。その後フランス革命とナポレオン戦争の収拾をするためにウィーン会議が開かれたんだけど、これが長引いちゃって、ナポレオンはエルバ島を脱出してパリに帰還しました。

　フランス国民は、はじめは何で戻ってくるの？って感じでしたが、ウィーン会議では旧体制復活が画策されている情勢だったので、ナポレオンがパリに近づくにつれて"ナポレオンさんが復活や！"ってなったんです。百日天下といってナポレオンが復位するんですね」

「最後の抵抗だ」

「しかし、ワーテルローの戦いに大敗し、イギリスを中心とした連合軍によってナポレオンは、南大西洋のセントヘレナ島に流されます。6年ものあいだ監視の下に暮らし、1821年に51歳でその生涯を閉じました。

　まあとにかく濃ゆいナポレオンの生涯、いかがでしたか」

「うーん、私はわりと世界史をドライに見ているので、歴史上の人物って流れのなかで役割を演じていると思っていたんです」

「うんうん」

「でも、ナポレオンにはやっぱりものすごい才能があって、フランス革命からの大枠で考えないと説明できないところも多くて、正直こんがらがってます」

「歴史とナポレオンを考えるとき、その奇跡のタイミングに焦点をあてないといけません。この時代、この場所でナポレオンがあらわれなければ、おそらくこの結果には至らなかったですよね」

「影響が甚大ですよね。自由主義、ナショナリズムをのちの世に解き放っ

たのは、本当に功罪だと思います」

「日本の明治維新も長い目で見れば、自由主義とナショナリズムの波及ですからね。ナポレオンは19世紀以降の社会を規定しました。ナポレオンの"以前と以後"で分けられるくらいの重要人物なんです」

第4章 近現代

リンカーン

南北戦争を終わらせたアメリカ大統領！

道しるべ

- 南北戦争の対立構造を理解しよう
- リンカーンは南北戦争中にどのような政策を進めたのだろうか
- 南北戦争後のアメリカの状況をまとめてみよう

「先生、今回はリンゴを木から落として正直に話した偉人の話ですね！」

「ひ、羊くん……。いろんな人が混ざってませんか。まずリンゴが落ちるのを見て万有引力をひらめいたのはニュートン、幼少の頃に桜の木を切って正直に名乗りでたのはワシントンです。今回はリンカーンの話ですからね！」

「なんかぜんぜん違ったけど、楽しみです。
"人民の、人民による、人民のための政治"って言った人ですよね」

「それは正解、有名なフレーズですよね。彼がなぜそう言ったのかを、アメリカの歴史を紐解きながら見ていきましょう」

◆ 1 アメリカの十三植民地

「ぼく、アメリカの歴史ってぜんぜん詳しくないんですよね。歴史に突然出てくるでしょ」

「わかります。アメリカ合衆国の独立宣言は1776年だから、世界史にあってはまだまだ若い国なんです」

「元々はイギリスの植民地だったんですよね。ラテンアメリカはスペインが征服するじゃないですか。北アメリカはスペインの植民地じゃないんだ」

「北アメリカには主にイギリス、オランダ、フランスが入植するんだけど、イギリスが勝利して支配を確立するんです」

「なんで他国を倒せたんですか？」

「複合的な要因ですね。イギリスって17世紀の市民革命で議会主権が確立したから、彼らの意思で政治を進めることができました。政府は国債を発行し軍事費にあてがうんですが、イギリス国債ってたいへんな人気で飛ぶように売れるんです。それで対外戦争を有利に進めることができました。

　イギリスはアメリカに十三植民地を建設します」

 ## ２ アメリカの独立

「18世紀後半、イギリスはアメリカ植民地への課税を強化しました」

「出たっ！　"課税の強化"、よくある世界史のセオリーですね。植民地の反発は当然として、その経緯はどんな感じだったんですか」

「十三植民地はもともと植民地議会によって、自ら政治を行っていました。もちろんイギリス領なんですよ。でも本国から遠いし、入植者による自治を認めていたのです」

「自立精神が強かったんですか？」

「そう。一方で、フランスとの植民地戦争で思いのほか出費がかさんだイギリスは、アメリカ植民地への課税を進めるんです。

　まずは印紙法。あらゆる出版物には本国が発行した印紙をはるように決定しました。"こっちは本国に議員を送れないんだぞっ、植民地への課税はするな！"と、植民地の人が反発します。羊くん、"代表なくして、課税なし"って聞いたことありますか」

「それ、知ってます。植民地側が拒否感を示したんですね」

「あまりの反対に印紙法は取りさげるんだけど、以降も課税政策を繰り返すんです」

「それが独立戦争に発展したんだ」

「茶法が成立し、イギリス本国の東インド会社が紅茶の専売権を持つって定めたんですね。お茶を買うなら、東インド会社から買ってねって。激高

した市民によって東インド会社の船に積んである茶葉がボストン港に投げ捨てられました。ボストン茶会事件っていいます」

「紅茶に罪はない……！」

「本国も軍隊を送ったり、自治権をはく奪したりして、一触即発の状況になりました。1775年、ついにアメリカ独立戦争がはじまります。そして植民地側は勝利したんです」

「あのイギリスが負けちゃったんだ」

「はじめはイギリス本国が優勢だったけど、植民地の世論が独立に傾いたんですね。植民地側はワシントンを総司令官に任命して市民兵の訓練も進み、徐々に優勢となりました。フランスやオランダなどがアメリカ独立を支持したのも大きかったですね。

　植民地側は1776年に独立宣言を発します。これが建国の年。1783年にはイギリスとパリ条約を結んで独立が承認されました。

　以降アメリカ人には"独立を勝ちとった！"っていう精神がずっと残るんです」

「こういう雰囲気って歴史を学ばないとわからないですよね」

 ③ 南北の対立構造

「あれ？　リンカーンってアメリカ独立の英雄じゃないんですね」

「そう。彼は南北戦争の指導者です。この後の歴史を見ていきましょうか。

　アメリカといっても独立宣言時の十三植民地ですら相当広くて、北部と南部では産業が違いました。北部は商工業地帯、南部は農業地帯。それで南北の対立が生じてしまったんですね」

「なんで産業が違うとケンカしちゃうんですか」

「それは、アメリカという国家のシステムに起因するんです。羊くん、連邦制って知っていますか？」

「連邦制……、邦は国みたいな意味かな……、それが連なっているということは、各州が連携して国をつくってるイメージでしょうか」

「勘がよくなりましたね！

　アメリカって、各州にかなりの権限が委ねられているんです」

「ってことは地方分権、封建的な国家なんですか？」

「いや、そうではありません。アメリカはそれでも連邦政府が徴税権や外交権など強い権力を持っています。1787年に成立したアメリカ合衆国憲法には、連邦主義がとられて中央政府の統治権が明記されたんだけど、各州は州権主義によって依然大きな権限を保持していました。この辺がややこしいところなんだけど、スナップエンドウでイメージすると、皮か豆のどちらに権限を与えるかで揉めるんです」

「先生、たとえがミステリアスです」

〰〰〰〰〰〰〰〰〰〰〰〰〰〰〰〰〰〰〰〰〰〰〰〰〰〰

「でも、それがなぜ南北の対立につながるんですか？」

「北部が商工業、南部が農業でしたよね。北部では産業革命がはじまり、機械化を進めてモノをたくさんつくりたいんです。先行するイギリスの安い製品が入ってくると負けちゃうじゃないですか。なので連邦全体で保護貿易をとって、英国製品に高い関税をかけたかったんです」

「ふむふむ。それは当然ですね」

「一方、南部の農業地帯では、主に綿花をつくってイギリスに輸出していました。もし連邦全体で高関税をかけてイギリスと対立すれば、南部の地主たちは困るんですよね。綿花を買ってもらえないかもしれない。だから自由貿易を主張するんです」

「おぉ！　見事に対立構造が浮かびあがりました」

「このため北部は連邦政府の権限を強化する連邦主義、南部は各州の権限を掲げる州権主義をとりました。また、プランテーションで黒人奴隷を用いる南部諸州は奴隷制度の維持を掲げる一方、北部は奴隷制度の反対を訴

えました。産業革命を進めるため黒人奴隷を解放し、工場労働者にあてがおうと考えたほか、彼らを新たな消費者としたかったのです。

　北部は保守派、のちに共和党が主流になり、南部は革新派、民主党が勢力を拡大します」

「この構造はいかにも受験世界史で問われそうですね」

「北部＝商工業、南部＝農業を押さえましょう。あとは論理的に考えれば大丈夫ですよ。

　それで、とくに奴隷問題でケンカするとマズいので、1820年にミズーリ協定が結ばれて、南北に境界線を引き〝ここから南は奴隷を使っていいよ、ここから北は奴隷ＮＧだよ〟と妥協しました。

　だけれど、作家ストウが『アンクル・トムの小屋』っていう小説で黒人奴隷の悲惨さを描き、それでアメリカ国内で奴隷解放が声高に叫ばれるようになったんです」

「世論が動いたってやつですね。南部は形勢が悪いなぁ」

「そう。このため南部出身の大統領のときに、奴隷を存続するか否かは各州の判断によるとする法律が1854年に成立します。カンザス・ネブラスカ法です。先のミズーリ協定では境界線がずいぶん南側に引かれていたんだけど、新法によって奴隷州が拡大するおそれが出てきました。これが北部の警戒心を煽ります。

　南北の対立は、お互い退くことができないところまできちゃったんです」

4 リンカーンと南北戦争

「エイブラハム゠リンカーンは、1809年にケンタッキー州の貧しい農夫の子として生を享けました」

「ついに出てきましたね。とはいえここまでの流れがわからないと、リンカーンの生涯は学べないですね」

「ふふふ、そうでしょ？

　リンカーンは満足に学校教育を受けられなかったんだけど、継母が熱心に読み書きを教えてくれました。読書の虫で、いろんな学問を独力で学んだんです。体を動かすことも好きでレスリングにはまったことも。根はまじめで正義感が強く、２メートルに迫る巨体を誇りながらも器用な面があり、機械をいじることが趣味だったそうです。

　成人してから、いろんな職を経験したんだけど、思うところがあったのでしょうか、政治家を志すようになって、20代半ばでイリノイ州の州議会議員に当選しました。８年間の政治活動の間に、独学で弁護士の資格もとったんですよ」

「偉人の話を聞くと"普通はそんなことはできないよなぁ……"って目を丸くしてしまいます」

「そうですよね……。

　1847年には下院議員に選出されるんだけど、このときアメリカ＝メキシコ戦争に反対する演説を行って世論の批判を浴び、一度政界を引退しました」

「アメリカ＝メキシコ戦争？」

「19世紀のアメリカは西部へ領土拡大を進めるんです。十三植民地からルイジアナ、フロリダ……、と領土が広がっていきました。それで、もともとメキシコ領であったテキサスの併合をめぐって戦争がはじまったんです」

「もともとメキシコ領ってところになんだか不穏な空気を感じるんだけど、アメリカの西部拡大は地図で確認しておきます（次ページ、図４-４）」

図4-4　アメリカの領土拡大

1846
オレゴン

1803
ミシシッピ川以西の
ルイジアナ

1783
ミシシッピ川以東の
ルイジアナ

1776
十三植民地

1848
カリフォルニア

ミズーリ協定で定められた境界線

1845
テキサス

1819
フロリダ

「リンカーンは在野の企業弁護士として手腕を振るいました。貧者にも優しく手を差しのべ、"正直者のエイブ"と呼ばれていたんですよ。

　そのうち南北の対立が激しくなってくると、リンカーンは完全な奴隷廃止論者でもなかったんですが、カンザス・ネブラスカ法以降の奴隷拡大の流れに懸念を抱いたのか、共和党の議員として政界に復活します。

　この頃は共和党内部でも奴隷問題で党内が分断されていました。そこでリンカーンは党大会で"分かれたる家は立つことあたわず"という名演説を行い、全土で評判になったんです」

「やっぱり演説がうまいんだ。政治家の必須能力ですね」

「1860年、リンカーンは共和党から大統領選挙に出馬し、みごと当選しました。そして奴隷反対で名が通ってる人物が大統領に就任したことから、南部諸州が合衆国から離脱しアメリカ連合国を結成します」

「衝突目前ですね」

「1861年4月、ついに南北戦争がはじまりました。リンカーンは戦時大統

領として北軍を指揮するんですが、軍事的知識に乏しくて、当初は南軍が優勢でした。さて羊くん、北軍はどのように形勢を逆転させますか」

「突然参謀になった！　そうだなぁ。ほかの勢力の支援をとりつけるとか、どうでしょうか」

「いいですね。当時のアメリカには北と南、さらに西部が存在しました。リンカーンは移住した西部農民に土地を付与したんです。こうして西部諸州の支持を得ました」

「外国の支持はあったんですか？」

「19世紀というとイギリスが奴隷制度を廃止して、先進国ではアメリカのみが奴隷制度を維持していたんです。そこで、リンカーンは1863年に“奴隷解放宣言”を行い、国内外に北部の正当性を明らかにしました。これでヨーロッパ諸国も北部を支持する大義ができたんですね」

「それって政治的判断？」

「うーん、リンカーンはとても政治バランスに長けた人だったようですね。戦争や世論の趨勢、党内での立場、国際関係などを考えてこの時期に発表しました。すべて理想論では語れないのが世界史の難しいところですね。

　南北戦争最大の激戦、ゲティスバーグの戦いに北軍が勝利すると、リンカーンはあの有名な演説を行います」

「“人民の〜”ですね。あれはどういう意図だったんですか？」

「民主主義の基本原則を示したんです。武力によって解決するのはやめましょ！ってね」

「い、今さら……」

「この戦い以降は北軍が優勢となり、1865年に南北戦争が終結しました。後にも先にもアメリカ人が最も亡くなった戦争で、今でも国民の心に刻まれています」

図4-5　ゲティスバーグの演説

 ⑤ アメリカのその後

「戦争終結に先立って、リンカーンは憲法修正第13条で奴隷解放を法的に規定しました。以降、各州で批准されていきます。数百万人にのぼる黒人奴隷が解放されました」

「でも黒人問題って今でも根が深い話で、もちろん解決できていないですよね」

「そうですね。しかし大きな一歩を踏み出したことは確かです。

　リンカーンは戦争終結の５日後、首都ワシントンの劇場で観劇中、急進的な南部支持者の凶弾に倒れました。享年56でした」

「そんな、さあこれからアメリカ再建だってときに……」

「在任中に暗殺されたはじめての大統領となります。

　リンカーンの死後、アメリカは北部を中心とする産業革命を進めていき、連邦主義を掲げて統一的な国づくりに励みます。19世紀末には名実ともに世界最大の国家に発展しました」

「彼がその基礎をつくったというと言いすぎですが、南北戦争を終結に導

いた手腕は相当ですね」

「ただ以降のアメリカも"自由と民主主義"が先走って肥大化するんですよね。そこまでリンカーンが想定していたかどうかちょっと自信ないんですが……。在任中は敵も多かったけど、分裂した国家を統一した"救世主""奴隷解放の実現者"として、歴代大統領のなかでも最高の評価を受けています」

「リンカーンがどのような思想を持っていたのか、彼の言行録や演説集を読みたくなりました。彼の本心をどこまで反映しているかはわからないけれど……」

マルクス

社会主義の理論を大成した知の巨人！

道しるべ

- ◎ 19世紀のドイツはどのような状況だったのだろうか
- ◎ 資本主義の矛盾を理解しよう
- ◎ マルクスの社会主義の理論と、その後の経過を押さえよう

「今回はマルクスです。イルカさん、好きそうですよね」

「社会主義の考え方にとても興味があるんですよね。なんでソ連が消滅しちゃったのか研究してみたい」

「世界史って"人類の失敗列伝"みたいなところがありますからね」

「マルクスの思想がどのようにして生まれたのか、楽しみです」

❶ 19世紀とは

「イルカさん、19世紀ってどんな世紀でしょうか」

「どんな……。ちょっと質問が難しすぎる気がするんですが、世界史は体系化ですもんね。時期で考えてみると、1800年前後のトピックはなんといってもイギリス産業革命とフランス革命。この2つがキーワードじゃないですか？」

「するどい」

「産業革命は資本主義を生み、フランス革命とナポレオンはのちの世界に自由主義とナショナリズムを広げたんですよね」

「そうそう、19世紀の特徴は、(i)資本主義の成立、(ii)国民国家の形成、この2点に尽きます。資本主義は格差による矛盾を生み、マルクスは社会主義の理論を大成させました。また1871年のドイツ国家統一は、自由主義とナショナリズムの集大成といえます。マルクスはドイツ人、統一の混乱に巻き込まれて、それはもう大変な生涯だったんです」

「マルクスは19世紀を体現した人物なんだ」

「的を射た表現！」

~~~~~~~~~~~~~~~~~~~~~~~~~~~~~~~~~~~~~

「国民国家ドイツについて、もうちょっとつっ込んだ話をさせてください。

　19世紀は自由主義とナショナリズム。フランス革命とナポレオンが引き金となり、世界に拡大したこの思想は、ギリシアやラテンアメリカの独立、スペインやロシアの革命運動、イタリアの統一、はてはアジア各地の近代化や独立運動につながっていきます。イルカさん、19世紀初頭のドイツの状況を説明できますか？」

「やってみます。中世以降のドイツは神聖ローマ帝国、けれど領邦諸侯が各地で自立し分権状態がつづきました。ナポレオンによって帝国が滅亡すると、ウィーン会議でドイツ連邦が成立したけど、この枠組みに統一感はなくドイツは相変わらず分裂しています」

「パーフェクト！　それでご多分にもれず、ドイツにも自由主義とナショナリズムの荒波が到来しました。近代原理による政治改革が求められ、ドイツ人による国家統一が叫ばれるんですね」

「ドイツ統一は、19世紀後半の断然に重要なテーマですよね」

「そう。ここでは細かい統一の流れは割愛しますが、ウィーン会議以降、学生たちが憲法を要求して各地で暴動を起こしたり、領邦国家間で経済同盟がつくられたりします。1848年には三月革命が起きて、ついに統一問題を話しあう会議が開催されるんだけど、プロイセンとオーストリアの対立で挫折、とにかく平坦な道のりではありませんでした。そんな時期にマルクスは青年時代を過ごすんです」

「たくましくなりそう」

❷ 資本主義の矛盾

「先生、産業革命と資本主義の関連性について、きいていいですか？」

「産業革命は資本家ブルジョワジーと労働者プロレタリアートの、二大階
級制を成立させました。ブルジョワジーは資本を投下して工場をつくる、
そこで労働者を働かせる、大量生産で利益が出る、それを使って工場を拡
大する。これが資本主義の原理です（図4‐6）」

図4-6　資本主義のモデル

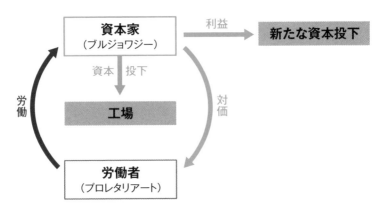

「資本家がとにかく儲かるシステムですね」

「そうなんです。

イギリスの産業革命は1760年頃に本格化して、1830年代に一段落しま
す。時期を同じくして、資本主義が定着しました。それが順次世界へ拡大
していきます。イギリス産業革命が1760年代から1830年代頃っていうのは
ぜひ頭の片隅に置いておいてください」

「資本主義の矛盾は、さまざまな問題を生じさせたんでしょうね」

「労働問題に発展しました。例えばイルカさんが仮に資本家だとして、労
働者をいくらで雇いますか」

「時給300円」

「ぐっ……、でもそうなりますよね。ブルジョワジーはなるべく人件費を

抑えて、商品価格を下げようとします。競争ってやつです」

「構造的にブルジョワジーが有利ですよね、資本主義って。労働者は仕事がなくなるかもしれないから、資本家に対して強く出られないじゃないですか」

「低賃金、劣悪な環境での長時間労働が横行するんです。女性や子どもが工場に駆りだされることも社会問題になりました。各地で労働組合が結成され、労働者による機械の打ちこわし運動も広がります。

19世紀前半には資本主義の非合理性が明らかになってくるんです」

「うーん、時給500円にアップしようかな」

③ 社会主義の登場

「諸悪の根源は資本家と彼らの私有財産ですよね。そこでイルカさん、どうすれば資本主義の欠点を補塡することができますか？」

「資本家を消せばいいんじゃないですか」

「単刀直入！　でも、じつはそれが社会主義の基本原理なんですよ。工場や会社などモノをつくる装置のことを生産手段っていうんだけど、社会主義ではブルジョワジーを排除して、生産手段を労働者が共有し、平等な社会を実現しようとします」

「そんなことが可能なんですか？」

「いろんな理論がつくられました。まずは空想的社会主義。イギリス出身のロバート゠オーウェンはもともと工場主だったんだけど、労働者の不遇な待遇に心を痛め、ニューラナークに模範工場をつくりました。小売店や保育園が併設され、労働環境が改善されたんです。彼は工場法の成立に尽力するなど、労働者の地位向上に力を注ぎました」

「人件費がかかって、商品の値段に上乗せされそうですよね」

「そうなんです。競争に巻き込まれて挫折しました」

「みんな安い物を求めるからですよね。ヒトが本能的に動くという前提で

考えると、社会主義の作用はきわめて理性的じゃないですか。みんなで工場を共有して、お給料なんかも平等に分配するワケだから。欲に従順なホモ＝サピエンスは、そのメカニズムを根源的なところで理解できないんじゃないかなぁ。オーウェンの理想は実現が難しいと思います。もはや本能をなくすしかないんじゃないですか？」

「むむ……。でもホントそうですよね。だからフランス出身のサン＝シモンっていう思想家は、新キリスト教を創設して思想的にアプローチします。みんなエゴをなくしていこう！って感じで。けれどもやっぱりうまくいかないんですね。後世のマルクスたちから空想的、ユートピア社会主義といわれました」

「そもそも国家組織のファンクションが、集約と分配、富のポンプ役をしているワケでしょう？　その構造に問題がある気がします。平等でも、公正でも、友愛でもないですよね」

「そこで無政府主義、アナーキズムが生まれました。フランス出身のプルードンは"所有とは盗み"といって、政治的権威を否定し無政府主義を定式化します。完全に自由な個人が相互につながれば、政府機能は要らないって主張したんだけど、マルクスらとの論争に負けて衰退していきました。

　それで、マルクスの思想が社会主義の中心理論として残ったんです」

 ## 4 マルクスの思想

「マルクスは1818年、プロイセン領トリールに生まれました。父はユダヤ人の弁護士。ドイツ各地の大学で法学や歴史、哲学を学びました。1841年にはイエナ大学で哲学博士号を授けられます。優秀な研究者でした」

「哲学者だったんですか？」

「いろんな学問を研究しました。哲学をはじめ法学、歴史、そして社会学、その思想体系はマルクス主義とも呼ばれています。知の巨人ですね。

とくに哲学ではヘーゲルの弁証法を批判的に継承し、また唯物論の研究も進めて、これらを統合したんです」

「世界史って、いきなり小難しい哲学用語が出てきますよね」

「ぐっ……。ざっくり説明しますよ。弁証法とは、あるテーマが肯定されると、今度は否定する理論が出てきて、それが統合されてより高い次元に達すると考えます。唯物論ってのは、あらゆるものの根っこは物質的なものとする思想。マルクスは史的唯物論を確立させるのだけど、人間の物質的な生産活動が歴史や社会を形づくるんだと主張しました」

「どういうことですか？」

「マルクスは弁証法と唯物論を統合し、資本主義における生産関係の矛盾から階級闘争が生じると考えたんです。その結果、労働者階級がブルジョワジーを打倒し、工場など生産手段を共有する、社会主義の必然性を掲げます」

「革命理論に見えるんですが」

「最終的には社会主義革命が起こると予言しました。

　19世紀半ばはドイツ各地で統一運動が吹きすさんだ時代、各国政府は暴動や革命運動を抑えつけるのに腐心しています。1840年代前半、マルクスは左派文壇のエースとして注目を浴びていたんだけど、プロイセン政府から圧力を受けるんです。それでパリに拠点を移しました」

「フランスでは生涯の友人、エンゲルスと出会います。また労働者階級のサークルに参加して、彼らの不遇を目の当たりにしました。ここでも精力的に論文を発表します。

　けれども、1840年代半ばのフランスで産業革命が進展すると、プロレタリアートの台頭を危惧するフランス政府は社会主義の弾圧を進めて、マルクスを国外に追放してしまうんです」

「どこでも煙たがられたんですね」

197

「自由な研究と移住のため、彼はプロイセン国籍を放棄します。その後、ロンドンで社会主義団体が結成されるんだけど、マルクスは参加を求められて、その綱領として1848年に『共産党宣言』を発表しました。"万国の労働者よ、団結せよ"と叫び、階級闘争と社会主義革命を説いたんですね。彼らの社会主義を、共産主義と呼びましょう」

「弾圧されそうなことを……」

「同じ1848年にパリでまた革命が起こりました。二月革命です。これがオーストリアやドイツに波及して、ウィーンやベルリンでは三月革命が勃発します。

イルカさん、1789年のフランス革命と、二月革命や三月革命の違いってなんでしょうか」

「そうだなぁ。19世紀半ばってもう資本主義が根付いている頃ですよね。ということは革命には多くの労働者が参加したとか?」

「その通り!　二月革命ではプロレタリアートが多数参加し、第二共和政の臨時政府には社会主義者が参画したんです。そういうワケで、ドイツの三月革命でマルクスは帰国すると革命運動の理論的指導を進めました。革命思想を載せた新聞の主筆になります。なんだけど、やっぱりこれも発禁になっちゃって国外追放に処せられるんですね」

「あぁ……、また流浪の旅」

「最終的にロンドンに移ったんだけど、妻と子供をかかえながら貧しい生活を送ります。イギリス政府は彼に市民権を与えなかったし、収入は新聞の寄稿料のみ。エンゲルスは資本家でもあったから、終生にわたって彼からの援助を受けました」

〜〜〜〜〜〜〜〜〜〜〜〜〜〜〜〜〜〜

「ただ、ロンドンでは研究に没頭したようです。大英博物館には相当量の史料がありますからね。また、国際的な労働組合である第一インターナショナルの創設に関わりましたし、パリで労働者による自治政府パリ゠コミ

ューンが建てられるとこれを支持します」

「後半生で社会主義理論の研究が進んだんですね」

「彼は『資本論』第１巻を1867年に出版します。かなり重たい著作なんですが、哲学、社会学、経済学など、マルクスの主義主張がちりばめられた歴史的名著です。ぜひ大学でチャレンジしてみてください」

「今から読みます」

「じゅ、受験中だけど、やるじゃないですか……。

最晩年には病苦に悩まされました。最愛の妻イェニーにも先立たれます。マルクスはこの時期を“精神の慢性的沈滞”と表現しますが、1883年に肺腫瘍が原因となり64歳でロンドンに没しました」

 5 マルクスが残したもの

「マルクスの死後、エンゲルスは彼の遺稿を編纂し、『資本論』の２巻と３巻を出版します。また数々の社会学者によってマルクスの思想は磨きあげられ、社会主義経済と革命理論が大成するのです」

「それでロシア革命に至るんですね」

「第一次世界大戦は労働者が兵士に駆り出されたんです。しかも戦争で物資が不足するとインフレが起こります。労働者を守るために社会主義勢力が台頭しました。このため戦争中、または直後に各国で社会主義革命が起こります。労働者は兵士と合流して、自治組織である評議会ソヴィエトをつくりました」

「先生、前から思っていたんだけど、ソヴィエトって具体的になんなんですか」

「たしかに、実態がよくわからないですよね。自治ってことは、富の集約と分配を労働者たちが進める共同体です。各地のソヴィエトが連携して連邦国家をつくりました」

「マルクスの理想を体現してますね」

「先陣を切ったのがロシア革命でした。指導者のレーニンはマルクス主義の継承者とされています。また中華人民共和国は、マルクス主義を基盤に置く国家。ソ連は崩壊しちゃったけど、こちらはまだ健在です。マルクスの思想は、20世紀に社会主義国家につながったワケです」

図4-7　社会主義の拡大

1922年
ソヴィエト社会主義
共和国連邦成立

1924年
モンゴル人民共和国成立
（史上二番目）

1919年
コミンテルン結成
各地に共産主義をひろめる

1949年
中華人民共和国
成立

「先生、私さっき"資本家を消せばいい"と言いましたよね。ちょっと訂正させてください。仮に資本家層を消したとしても、誰かが生産物を集約・分配しないと社会が回らないじゃないですか。ということはやっぱり階級社会になって、結局"持つ者と持たざる者"に二極化しませんか」
「とってもよい指摘です。ソ連では計画経済が実施されるんだけど、ノルマがどのくらいとか、どこのソヴィエト（自治組織）を担当するのか、人事権を握った書記長に権限が集中するんですよね。それでスターリンは独裁権を握ると、反対・抵抗する者を粛清しました。中国では毛沢東が権力奪還を画策し、プロレタリア文化大革命を行います。共産主義を回復するために各地で武力闘争が進められ、いったいどれくらいの人々が犠牲になったかよくわかっていないのです」

「うーん、いっそのこと政治はもうコンピュータに任せちゃうのがいいような気がしてきました。

　資本主義社会の歪みが明らかになって久しいですよね。社会の格差はとどまるところを知りません。先生、どうすべきなんでしょうか」

「今一度マルクスの思想をブラッシュアップする必要があるのではないでしょうか。無関心なのが一番の問題です。社会にはびこる問題をあの手この手で解決しようとした知の巨人、彼の思想を一定数の若者が語りあうだけでも局面が変わってくると思うのです」

孫文

中国の改革を進め、共和国建設に尽力した革命家！

道しるべ

- 19世紀の中国の情勢と、近代化の内容を押さえよう
- 辛亥革命の成果と挫折を確認しよう
- 孫文の革命運動の経緯と、没後の中国の状況をまとめてみよう

「今回は孫文です。羊くん、どんなイメージですか？」

「いや、近代はほとんど知識がなくて……中国の偉い人ですよね。中学生のときに習ったはずだけど日本の歴史が中心だったので、彼の名前だけは知ってる、そんな状態ですね」

「大まかな歴史事実だけだとなかなか引っかからないというか、とくに近現代史の人物はそうなりますよね。今回は19世紀から20世紀の中国の状況も交えて、孫文を掘りさげていきましょう」

1 アジアの近代化と動揺

「羊くん、19世紀のアジアの特徴を、簡潔に説明してみましょう」

「うわ、いきなりの難問。そうシンプルに問われるとなかなか説明しづらいというか、アジアはヨーロッパに侵略された……とか？」

「ひ、羊くん……、満点です！」

「え？　そんな簡単でいいんですか」

「簡潔に答えられてますよ。

　もっとも、欧米列強の勢力拡大は地域によって、ずいぶん差異があるんです」

「オスマン帝国なんかはヨーロッパに近いじゃないですか。相当苦労しそう」

「そう、19世紀には領土がずいぶん縮小したんだけど帝国は近代化を進

め、第一次世界大戦後まで維持されます。

　またイランはカージャール朝の時代で、英露の進出に対して民衆の抵抗が激しさを増すんですよね」

「インドはどうなったんですか」

「当時はムガル帝国だったのですが、イギリスはインドを植民地として重要視し、その支配を強化するんです。それで反乱が起こってしまい、ムガル帝国は滅びました。以降はイギリス本国の支配となり、インド帝国が成立するとヴィクトリア女王が皇帝を兼任します。

　一方、東南アジアはタイを除くほぼ全域がヨーロッパ列強に分割されてしまいました」

「列強諸国となったのは日本だけですよね。何か秘訣があったのかな」

「一番の理由はヨーロッパから遠かったところでしょうね。あと明治維新までの動乱期には、南北戦争中のアメリカが手を出せなかったこともあげられます」

「なるほど。ほかには国民が勤勉だったとか？　儒教の精神ってやつ」

「そこがちょっとよくわからないんです。現代の東アジアの発展をかんがみるに、儒教をどのように扱うかがキーポイントだと思うんだけど、日本はそこまで儒教にずぶずぶでもないんですよ。例えば、朝鮮半島の李朝では中国に朝貢して、官僚試験の科挙を導入するから、儒教の影響がかなり大きいんです。でも江戸幕府って朱子学を官学にするけど、制度までは導入しませんでした」

「中国では逆に儒教の精神が、近代化を阻害したとか？」

「そのあたりを詳しく見ていきましょう」

 ❷ 清朝の近代化と挫折

「19世紀の清朝は、衰退が明らかになっていたんです。理由は人口増加。人が増えると住むところがなくなってくるし、環境も悪化しますよ

ね。それで大きな社会不安を生みました。農民による反乱が各地で頻発します。けれども清朝伝統の軍隊、八旗や緑営にはもはやこれを制圧する力がなく、地方有力者が鎮圧に活躍しました」

「弱体化だなぁ……」

「19世紀半ばには、とくにイギリスの進出を受けるんです。中国には良いものがたくさんありますよね。絹織物、陶磁器、そしてなんといってもお茶です」

「イギリスは紅茶を欲するんですよね。王侯貴族が飲むんですか？」

「はい。あとは労働者ですね。イギリスは19世紀初頭に産業革命が進んでいたんだけど、労働のストレスからか、労働者の過剰な飲酒が横行して大変なことになりました。このため資本家は、大量のサトウを入れた濃い紅茶を労働者にがぶがぶ飲ませるんです。カフェインも入っているから眠くならないしね。それで、なるべく安い茶が大量に必要となったんです」

「でも中国はなかなか売ってくれない……、と」

「原則的に朝貢貿易オンリーですからね。

それでイギリスはインド産アヘンを密輸して茶を得るんだけど、中国からすると迷惑このうえないんです。アヘンは強力な麻薬、大衆の薬物中毒が社会問題になっちゃって、清はアヘンの取り締まりを行いました。それにイギリスが反発して……」

「アヘン戦争だ」

「けれども、この戦争では近代化された英国海軍に、清朝は敗北します。それで南京条約をはじめとする不平等条約が結ばれ、欧米列強の中国進出が進みました。

社会が不安定になると、太平天国の乱という大きな農民反乱が勃発しました。清の正規軍は弱体で役に立たず、郷勇という地方有力者の義勇軍が反乱鎮圧に活躍するんですね。19世紀半ばの清朝はこんな状況でした」

「うーん、何か抜本的な改革が必要ですね……」

「そこで清朝は近代化運動をはじめるんです」

「近代化っていうと西洋の技術や思想を導入するんですよね」

「洋務運動といいます。近代的な工場を建て、鉄道を敷設し、軍隊の西洋化が行われました。しかし、近代思想の導入は一向に進まなかったんです」

「なぜですか？」

「王朝体制の維持が理由です。清朝は中国の伝統文化を国体維持に用いてました。儒学の素養を問う科挙に合格した官僚たちが政治を行います。このため、彼らは自身の権益喪失をおそれて西欧思想の採用を見送るんです。この姿勢を"中体西用"といいました」

「なるほど、西洋技術のみを利用して国の体制は変えない。政治や社会のシステムが変わらないから、近代化がうまくいかなかったんですね」

「そうそう。日本の場合は江戸幕府を倒して、武士という支配者階層を解体しましたよね。社会体制を変えて西洋化を進めました。どちらがいいのか判断はおいておくとして、近代化という観点から見ると中国は後れをとってしまうんです。

　中国は清仏戦争や日清戦争に敗北します。列強諸国は資本投下先として中国への介入を加速させ、19世紀末には清朝は半ば植民地と化してしまいました。それでも、有識者による近代化運動は政府の弾圧を受けるんです。日本の明治維新のように改革を進めようって開明派の康有為は息巻くんだけど、西太后ら保守派の反発を受け挫折します」

「この期におよんでも、内輪揉めしたんだ」

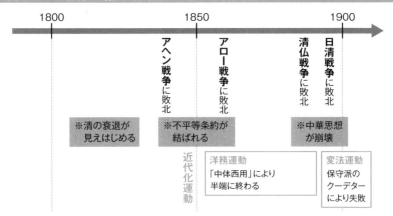

図4-8　19世紀の列強の中国進出と清の近代化運動

1800　　　　　　　　　　1850　　　　　　　　　　1900

アヘン戦争に敗北

アロー戦争に敗北

清仏戦争に敗北

日清戦争に敗北

※清の衰退が
見えはじめる

※不平等条約が
結ばれる

※中華思想
が崩壊

近代化運動

洋務運動
「中体西用」により
半端に終わる

変法運動
保守派の
クーデター
により失敗

---

3 孫文の革命運動

「孫文は1866年に、広東省の貧農の家に生まれました。ハワイで成功していた兄を頼り、12歳でホノルルへ移住します。現地の高校で西洋思想に入れ込むんだけど、心配した親族により中国へ連れ戻されました」

「孫文は帰国子女だったんですね」

「そうなんです。その後、香港の医科学校を首席で卒業し、マカオで医院を開業するとすこぶる繁盛しました。この頃には政治問題に関心を深めていたんだけど、日清戦争がはじまると一念発起しハワイに渡り、1894年に革命団体の興中会を組織します」

「打倒清朝ってことですか」

「この頃ついに革命を志すんです。翌年の広州での武装蜂起は失敗に終わり日本に亡命した後、アメリカ、イギリスと拠点を移しました。ロンドンでは清朝の公使に捕まっちゃうんだけど、そのときの経験を『ロンドン被難記』に記して発表すると、世界的に著名な革命家となります」

「よく無事でしたね」

「知り合いのツテを使って脱出したんです。羊くん、コネクションは大事

ですよ。

　1897年には来日して、犬養毅ら政界の要人と交流し、活動の支援を受けます。日本人の女性と結婚もしました」

「孫文って、日本と関わりが深いんですね」

「そうなんですよ。日露戦争で日本の勝利が確実になると、孫文は東京で"中国同盟会"を創設し、総理に就任します。いくつかの団体に分かれていた革命組織を統合しました。彼は三民主義、つまり民族の独立、民権の伸長、民生の安定を掲げて、革命運動の先鋒になるんです」

「民が3つで三民主義ですね」

「『民報』っていう雑誌を発行し、中国人の意識改革を訴えました。彼は中国の現状を心の底から憂いていたんですね。

　孫文は幾度かの武装闘争で革命派に担ぎあげられたけれど、蜂起が失敗すると亡命生活を余儀なくされました」

 ## ④ 辛亥革命と中華民国の創立

「20世紀初頭になると中国でも産業革命が進み、軽工業で中国人のブルジョワジーが台頭しました。民族資本っていいます。この時期の中国は列強に分割されていたけれど、徐々にナショナリズムが高まって、彼らが改革の中心となったんです。

　民族資本家たちは利権回収運動といって、列強諸国から鉄道や鉱山利権を買い取り、自らの手で自国の利益を保護しようとしました」

「孫文たちの運動の成果が出はじめたんですね」

「一方で清朝では、1905年から光緒新政が進み、科挙の廃止や新軍の設置が行われます。新軍ってのは、西洋式の軍隊です」

「ようやく科挙をやめたんだ。ちょっと遅い気がするけど」

「ほかにも憲法大綱をつくって、立憲君主政の成立が目前まできました。

　とはいえ、ここまで広範な改革にはとにかく予算がかかるんですよね。

清朝には費用を捻出する資金力がない。そこで、政府は幹線鉄道の国有化を発表し、それを担保に外国から借款をつのりました。この鉄道、民族資本が苦心して建設したものだったんです」

「ん？　つまり、中国人が列強から権利を買い戻して地道につくった鉄道を国有化し、それを肩代わりに外国からお金を借りたってことですか？」

「そうです」

「ひどい！　さすがに堪忍袋の緒が切れますよね」

「ついに四川で民衆の暴動が起こりました。一揆に対して清朝政府は対応します。武昌に駐屯していた新軍を鎮圧に向かわせるんですね。しかし新軍の中枢も"これって政府が悪くね？"と考えていて、逆に彼らが蜂起します」

「銃口が清朝政府に向いたんだ」

「その通り。1911年、ここに辛亥革命がはじまりました。

革命は全国に波及します。各地の省を制圧した反乱軍は清朝政府から離脱し、共和国樹立を宣言しました。このとき孫文はアメリカに亡命してたんだけど、革命勃発の報を受けて帰国し、革命の指導を進めます」

「そりゃすぐに帰りますよね。待ち望んだ状況だ」

「翌1912年、独立を明らかにした14省の代表者が南京に集まると、孫文を

図4-9　辛亥革命の関連地図

北京

黄河

南京・

四川　　武昌・　長江

■ 独立した省

中華民国の臨時大総統に推します。残る敵は、北京周辺に維持されている清朝政府。ただし、実権を握る袁世凱は、中国最強の北洋軍を手中に収めていました。さて、羊くんならどうしますか」

「袁世凱をぶっ倒す！」

「あ、あの。北洋軍がいるんだけど……。

　カードとしては、(i)打倒する、(ii)交渉する、(iii)降伏する、のどれかですね」

「(iii)は当然なしとして、(i)は難しいって判断だったんですか？」

「そう。孫文は北京に至ると袁世凱と協議し、袁の権限を用いて宣統帝溥儀を退位させる代わりに、彼に中華民国臨時大総統の地位を譲るってところで話がまとまりました」

「溥儀って、あのラストエンペラーで有名な皇帝ですよね。清朝を終わらせる代償として、袁世凱は中華民国の最高権力をつかんだんだ」

「そうなんですね。清朝が滅亡するとアジアではじめて共和政の国家ができたワケで、それは画期的な革命ではあったんだけど……」

「孫文はトップの地位を袁世凱に明け渡してしまった。雲行きが怪しいですね」

「南京の中華民国政府には、まだ共和政を全土で施行する能力がなかったんです」

「というと？」

「うーん、大きな軍事力を持っているほうが結局は統治しやすいんですよね。まだ法整備がままならない時期にはとくにね。中国同盟会は体系的な行政組織をつくれていなかったし、各人の綱紀も乱れていました。それで孫文は国民党を創設し議会政治に備えたんだけど、袁世凱がこれを弾圧し解体してしまいます。彼は暫定的な憲法である臨時約法を無視して、専制政治を進めました。袁世凱には野心があったんです」

「それみたことか！」

「袁世凱の独裁に対して、1913年に第二革命が起こるんです。結局これは鎮圧され、孫文は日本に亡命しました」

「うまくない展開ですね」

「孫文は東京で中華革命党を組織し、さらなる革命を準備するんです。一方、1914年には第一次世界大戦がはじまって、ドイツ勢力圏の山東半島を日本が占領します。日本は対独の協商国側で参戦したんですね。それで、袁世凱の政府に対して二十一カ条の要求を発し、山東などの権益を求めました」

「二十一カ条の要求は日本史で習いましたよ。中国は辛亥革命中だったんだ。そんなの知らなかったです」

「そう。革命の混乱により、袁世凱はこれを飲んでしまうんです。中国の大衆は激しい嫌悪感を覚え、各地で反対運動が起こりました。この事態に袁世凱は帝政復活で対応しようとします」

「んん？　帝政復活って、もしかして自分が即位しちゃう？」

「まさかまさかの、そうなんです。さすがに国内外からそれはマズいだろうという反応があり、1915年に第三革命も起こってしまい、やむなく袁は帝政を撤回します。それで翌年、失意のうちに亡くなってしまうんですね」

「相当迷惑ですね。辛亥革命って袁世凱の個人的な意思に影響されているところが多くないですか」

 ## 5 その後の孫文と中国

「辛亥革命後、袁世凱の部下たちが軍事力を背景に各地で実効支配を進めました。軍閥っていいます。彼らの割拠で中国は分裂状態になってしまったんです」

「孫文はどうしたんですか」

「各地の軍閥と戦いを準備し、中国統一を諦めませんでした。

　一方で辛亥革命が終わったあたりから新文化運動が進み、中国の知識人が民衆の意識改革を目指しました。口語で文章を書こうぜ！と識字率向上を進め、西洋文化を紹介します。それで、1919年には民衆による反帝国主義運動の五・四運動が起こりました」

「それも聞いたことがあるぞ。反日運動が展開されたんですよね」

「第一次世界大戦のパリ講和会議で中国政府は二十一ヵ条の要求を撤廃してほしいと提訴したんですが、列強に拒否されてしまいました。それを受け、北京の学生や労働者が暴動を起こしたんです」

「なるほど。先生……、近代史って各地の出来事が絡んでいてややこしいんですが……、おもしろいです。ぼくは好きかもしれません」

「いいですね。中国民衆がついにめざめるんです。これを見た孫文は秘密結社の中華革命党を改組して、大衆政党の中国国民党を結成しました。民衆のエネルギーを統一運動に投影させようとしたんですね」

～～～～～～～～～～～～～～～～～～

「歴史の視野を世界レベルに変えてみましょう。1917年のロシア革命により、共産主義のソヴィエト政権が成立しました。孫文はこの出来事に興味を持ちます。社会主義の理論を応用して、革命を進めていけるんじゃないかってね。

　一方でロシアも共産主義を広げるため、中国の統一運動に接近しました。コミンテルンっていう共産主義を広める機関の影響で、1921年に中国共産党が成立します。また、ロシアは中国につきつけた不平等条約の撤廃を宣言し、彼らの信任を得ました。それで孫文はソ連の代表者と会談し、連携を進めるんです」

「先生、ちょっとタンマで。国民党はもともと民族資本っていうとブルジョワジーが結成した団体を起源にしてますよね。ということは、労働者が

中心の共産党とは水と油、犬猿関係にあるんじゃないですか」

「か、勘がするどい。

　まさしくそうなんだけど、孫文は共産主義と協力することを選んだんです。1924年には“連ソ・容共・扶助工農”っていうスローガンを唱えました。ソヴィエトに連なって、共産主義を容認し、工業と農業をあげていこうって感じです。共産党員の国民党入党が認められ、ここに国民党と共産党の協力体制、第一次国共合作が成立しました」

「なんで孫文は、共産主義とともに歩むことを選んだんだろう」

「うーん、それは孫文に聞いてみないことには、なんともいえないですね。辛亥革命の失敗は大衆の十分な参加がなかったため、共産主義による労働者の意識改革を求めたのかもしれません。20世紀のアジアの民族主義者が社会主義に傾倒することってわりとよくあることでした。あと、なんといってもソ連からの軍事的支援が魅力的だったことも理由にあげられます」

「国民党内からは反対意見がありそうですよね」

「それは当然の流れですよね。

　じつはこの時期、孫文はガンにおかされていました。さぁこれから、各地の軍閥を打倒し、中華民国による真の統一を成し遂げるぞってとき、翌1925年に孫文は北京で客死します。遺言には“革命、いまだならず”と記されていました」

〜〜〜〜〜〜〜〜〜〜〜〜〜〜〜〜〜〜〜〜〜〜〜〜〜〜〜〜〜〜〜〜〜

「その後の中国はどうなったんですか」

「中国国民党を引き継いだ蒋介石が、軍閥打倒の軍事行動を進めます。北伐といいます。ただ蒋介石はブルジョワジーとの関係が深い人物で、北伐中に上海クーデターで共産党を弾圧し、壊滅状態にしました」

「孫文とは正反対を向いてませんか、それ」

「えぇ。それで統一運動はなんとか成功するんだけど、一度崩壊したはず

の共産党が農村地帯で活動を活発化させます。蔣介石は共産党への軍事的圧力を強めた一方、この頃には満洲事変など日本の中国進出が激しくなっていて、ついに日中戦争がはじまってしまいました」

「てんやわんやな状況ですね」

「蔣介石は第二次国共合作を行って、日本との戦争を継続するのだけど、戦後はまた国共内戦が再開してしまい、国民党の中華民国は台湾に追いやられてしまいました」

「大陸には、共産党の中華人民共和国が成立するって寸法ですね」

「そう、中華人民共和国でも中華民国でも、孫文は建国の父として今でも深い尊敬を集めているんです」

「今回は孫文の生涯をたどりながら、密度の濃い近代アジア史を味わうことができました。自分でも学びを進めます」

ガンディー

インド独立運動を導いた思想家！

道しるべ

- ◎ イギリスによるインド支配の様相を知ろう
- ◎ インド人の反英運動の経緯をチェックしよう
- ◎ ガンディーはどのような思想で独立運動を進めたのだろうか

「今回はガンディーです。イルカさん、よろしくお願いします」

「19世紀から20世紀って、ヨーロッパの支配に対するアジアやアフリカなどの抵抗運動がテーマの一つですよね。そのなかでもガンディーはもっとも有名な人物。彼の糸を紡ぐ姿が印象的なんですが、実際にどういう一生を送ったのか、とっても楽しみです」

「インドの近代史をお話ししながら、彼の生涯を見ていきましょう」

 １ イギリスのインド支配

「先生、なんでイギリスはインドを支配したんですか？」

「おぉ、根源的な質問。17世紀ってオランダがアジア交易を一歩リードしてたんですよね」

「17世紀の前半はオランダの世紀ですよね。オランダ東インド会社が香辛料交易を牛耳って、中継貿易で莫大な利益を手にしたって習いました」

「そうそう。オランダはイギリスの商人を弾圧し、東南アジアから排除しちゃいました。この騒動をアンボイナ事件といいます」

「イギリスはオランダに負けて、仕方なくインドへ進出するんですね」

「マドラス（現・チェンナイ）やボンベイ（現・ムンバイ）などの沿岸部に拠点をつくって、インド交易を行いました。とくにインド産の綿布はイギリスでバカ売れするんです」

「あまりに売れすぎたから、本国の毛織物業者が政府にかけあってインド

の綿布を輸入禁止にしてしまうと、それが産業革命につながった……ですね」

「17世紀後半はフランスもインドに進出しました。英仏の抗争が激しくなるんだけど、イギリスが勝利して、インドの支配を確立します。

　その後、イギリスは各地域の王朝や勢力を征服して、19世紀半ばにはほぼインド全域を支配するんです」

「先生、この頃のインドはムガル帝国ですよね。そのほかにもいろんな王朝があったんですか？」

「1600年代後半のアウラングゼーブ帝のときにムガル帝国は最大領域を実現するんだけど、厳格なイスラーム教徒であった彼はヒンドゥー教やシク教を弾圧するんです。帝が亡くなって以降は各地で反乱が頻発し、インドは分裂状態となりました。そこにイギリスがやってきたワケですね。19世紀半ばにはムガル帝国の支配は名目だけ、デリー周辺のみを領土とするほどになってしまいます」

「イギリスに対する暴動が起こるんですね」

「はい。シパーヒーの乱という大反乱が勃発するんだけど、結局イギリスに鎮圧されて、ムガル帝国は滅亡しちゃいました。以降は本国の統治になったんだけど、1877年にはインド帝国が成立して、皇帝はヴィクトリア女王が兼任するんです」

「つまりインドは事実上イギリスに吸収合併ってことですよ

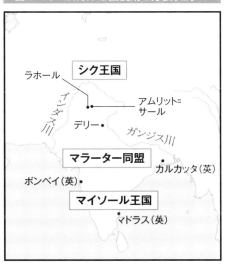

図4-10　ムガル帝国後期の分裂状況

シク王国
ラホール
アムリット＝サール
インダス川
デリー
ガンジス川
マラーター同盟
カルカッタ（英）
ボンベイ（英）
マイソール王国
マドラス（英）

ね、これ」

「シパーヒーの乱の反省から、イギリスはインドを分割統治するんです。直轄領、そして藩王国っていう自治をある程度認める地域に区分けして、反発が起こらないよう巧妙に支配しました」

2 インド人の抵抗

「とはいえインド人の反乱はつづきますよね」

「イルカさん、なぜ反乱って起こるんでしょうか。例えば、イギリスの統治が極めて正当で、ムガル帝国のときよりも税の徴収が穏やかだったり、きちんと自治ができていたりすると、べつに抵抗する理由はないですよね」

「うーん、支配されるのはやっぱり嫌かな……、民族意識とかもあるし」

「同じ民族であっても、一般大衆は上位階層の支配を受けてますよ」

「むっ…。イギリスは我がもの顔でインドの富をしぼりとりますよね。歴史上、異民族統治が正当に行われたことってありますか？」

「まあそうですよね。とくにナショナリズムが問題になってくるんですよ。19世紀末のイギリスはインド統治にインド人を用いるんだけど、各地に大学を設立して英語教育をほどこし、近代原理を教えて役人とするんです。そうすると、インド人の民族意識が高まってくるんです。この体制はおかしいな……と。またインド伝統の社会や考え方が、近代思想に比べて矛盾が生じているじゃないか、と自らの後進性を自覚しました。人権っていう概念から見ると、おかしいと感じる風習があったりしましたから」

「インド人のエリートを中心に改革運動が進んでくるってことですか」

「そう。そこで、インド人の反感を肌で感じていたイギリスは、1885年にインド国民会議を開催し、インド人の話を聞きます。もちろん自治権を与えるワケではなく、あくまで話しあい」

「ガス抜きをしたんですね」

「インド国民会議は、はじめは親英的な組織でした。しかし20世紀に入ると急進化するんです。イギリスはベンガル分割令っていう、ベンガル地方をヒンドゥー教徒とイスラーム教徒に分割する法令を出しました。それに対しインド人の抵抗が激しくなります」

「分割すると反発が強まるんですか？」

「ムガル帝国はイスラーム教の王朝でしたよね。なのでインドはヒンドゥー教徒とイスラーム教徒が混在していたんだけど、イギリスはインド統治にイスラーム教徒を優遇・登用して、多数のヒンドゥー教徒を支配しました。両教徒の待遇に差をつけることで、両宗教の協力を防ごうとしたんです。ベンガル分割令では、インドの民族運動を抑えつけるイギリスの思惑が明らかになりました」

「イギリスって、近現代史におけるいろんな問題の元凶になってませんか」

「ぐっ、そうですよね。それで1906年にインド国民会議カルカッタ大会が開かれ、ヒンドゥー教徒を中心に "英貨排斥・国産品愛用・自治獲得・民族教育" のスローガンが掲げられました。反英運動があまりに激しくなったので、イギリスは分割令をひっ込めるんだけど、イスラーム教徒の親英組織である全インド゠ムスリム連盟を創設し、首都をカルカッタ（現・コルカタ）からデリーに変えるなど、いろいろ対応しました。

　以降もインドの独立闘争はつづいていきます」

 3 民族自決とは

「20世紀初頭のアジアでは、民族運動が一気に噴出しますよね。封建国家が解体され、中華民国やトルコ共和国が生まれました。なにかカラクリがあるんでしょうか」

「第一次世界大戦前後の流れが背景にあります。米大統領のウィルソンが "十四カ条の平和原則" を提唱して戦争の終結をはかるんだけど、そのな

かに"民族自決"の概念が入っていたんです。各民族のことはその民族が自ら決めようよ、と叫ばれました。1919年のパリ講和会議で十四カ条が話しあいの原則にされると、世界へ一気に広まります」

「なんだか素晴らしいことのようにも聞こえるんだけど」

「うーん、"十四カ条の平和原則"は社会主義に対する側面が大きかったんです。第一次世界大戦中にロシア革命が起こると、ソヴィエト政権が成立しましたね。この流れが各地に波及すれば、社会主義をとる国家が増えるかもしれない。そう懸念したウィルソンは民族自決を提唱することで、東欧諸国の独立を後押ししたんです」

「……どういうことですか」

「第一次世界大戦後、独立した東欧諸国は北から順番に、フィンランド、エストニア、ラトヴィア、リトアニア、ポーランド、チェコスロヴァキア、ハンガリー、そしてユーゴスラヴィアです」

「北欧から東欧の国々で、見事にタテ並びですね」

「そう、ソヴィエト＝ロシアに対する防波堤になってます。独立を援助したのに、我々の意に反して社会主義になるんですかっていう圧力が見えますよね。そういうワケで、非ヨーロッパ地域の民族自決はぜんぜん実現しなかったんです」

「世界史って、一見人道的だと感じることでもフタを開けてみると政治的な背景がありますよね」

「しぃーっ！　それでも民族自決の潮流は全世界を駆けめぐりました。日本に併合されていた朝鮮では三・一独立運動、列強の分割を受けていた中国では五・四運動が起こりました。トルコでは列強勢力を追い出してトルコ共和国が成立し、アフリカでパン＝アフリカ会議が開催されます」

「講和会議で声高に叫んだら、そりゃ広がっちゃいますよ」

「その流れがインドにも押しよせるんです」

4 ガンディーの活動

「ガンディーは西インドの商業カースト生まれで、父は小さな藩王国の宰相を務めた人物でした。読書が趣味だけど内気な性格で、ヒンドゥー教徒である母の戒めを守り、禁欲的で質素な生活を好みました。18歳でロンドンに留学すると猛勉強の末に弁護士資格を取得します」

「裕福な家庭だったんですね」

「とはいえ、イギリスへの留学は所属カーストの反対があったようです。帰国後はインドで弁護士の職に就いたんだけど、封建的な社会になじめず、誘いがあった南アフリカへ渡ります。当地では白人による人種差別に直面し、民族問題に関心を持つようになりました」

「アパルトヘイトってやつだ。南アフリカにはインド人の移民が多かったから、ガンディーも差別的な扱いを受けることがあったんでしょうね」

「1915年にインドへ帰国すると国民会議派に参加して、自治獲得運動スワラージを進めます。

　当時は第一次世界大戦中、イギリスはインド人の自治を約束し代わりに戦争協力を求めました。自治を夢見て多くのインド人が参戦します。だけど戦争が終わるとイギリスは約束を反故にするんです」

「さすがにひどくないでしょうか」

「しかも戦後はインドに民族自決の波が押しよせてきて、各地で反英感情が高まっています。対してイギリスは1919年にインド統治法を制定するんだけど、これはインド人の自治要求にはるか遠い内容だったんです。暴動を防ぐため、イギリスはローラット法を成立させ、令状なしの逮捕や裁判抜きの投獄を可能にしました。民族運動を弾圧するんですね」

「インド人の怒りは当然です」

「そうですよね。ガンディーはヒンドゥー教にある不殺生の精神を根拠にして、非暴力・不服従運動を進めました。この思想をサティヤーグラハといいます。暴力によらず、一切の公務や納税を停止してイギリスに抵抗す

るんです」

「何も逆らわない相手をイギリスが殴れば、国際問題になってしまいそうですよね。ガンディーは考えましたね」

「しかし事態は急転します。パンジャーブ地方のアムリット゠サールで大規模な反英運動が起こると、イギリスはこれを武力で弾圧し、何百何千のインド人が死傷してしまうんです」

「ガンディーはアムリット゠サールでの弾圧に大きな衝撃を受けました。これまでのおれの運動は間違っていたんじゃないかと自省します。それで一度運動は停滞しちゃうんだけど、この時期にはちょうどイスラーム教徒がカリフ擁護運動を進めていて、それに協力する姿勢を見せて、ムスリムを非暴力・不服従運動に巻き込んだんですね」

「カリフ擁護運動ってなんですか?」

「第一次世界大戦後にオスマン帝国が動揺したでしょ。トルコでの改革を求める動きに対して、世界中のイスラーム教徒がカリフ制の存続を叫びました。ガンディーの思想にムスリムも同調し、彼は宗教を超えた反英運動を展開します。

　粗末な衣服を着て、手紡ぎ車を回すガンディーの有名な写真は、この時期のものなんです」

図4-11　糸を紡ぐガンディー

「心に響く情景ですよね」

「でも結局ガンディーの活動は下火になりました。ヒンドゥー教徒のなかにはやっぱり武装闘争を起こすグループもあって、ガンディーの思想が徹底されなかったこと。またイギリスが全インド゠ムスリム連盟に肩入れして、イスラーム教徒との協力がうまくいかなくなったことなどが理由にあげられます。ほかにもインドの憲法をつくる会議にインド人が一人も含まれてなくて、それで反英運動がエスカレートしちゃったんです。国民会議のなかも穏健派と過激派に分かれてしまって、画一的な運動ができなくなりました」

「うーん、前途多難だ」

 5 ガンディー思想とその後

「1929年にはインド国民会議のラホール大会が開かれました。急進派のネルーがプールナ゠スワラージ、つまり完全独立を掲げると反英運動が激化していきます」

「過激な運動はガンディーの目指すところではないですよね」

「そう。これに対してガンディーも"塩の行進"を行いました。イギリスが塩の専売権を持っていたんだけど、ガンディーは歩いて抗議し、その途中で法を破って塩をつくりました。イギリスも弾圧に乗りだして6万人が逮捕されますが、血を流しながら行進をつづけるガンディーの姿は人々に強く訴えかけたのです」

「イギリスも何か対応しないといけないですね」

「1930年から英印円卓会議がロンドンで開催され調停の場がつくられたんだけど、歩みよりができないままに終わります。2回目の会議に参加したガンディーは内容に失望して帰国すると、逮捕されてしまいました。

その後、解放された彼はカースト最下層の不可触民を神の子ハリジャンと呼び、その人々の解放に運動の軸を変えていきます。これがインド国民

会議主流派との確執を生みました」

「こういう改革運動って、内部の対立でうまくいかないことがありますよね。私がイギリスならその対立を利用するかな」

「イルカさんだけは敵に回さないようにします。

　そうこうしているうちに第二次世界大戦がはじまってしまい、日本がアジアの解放を訴えてビルマ（現・ミャンマー）に侵攻、インドも脅威にさらされました。日本を排除しようとする派閥、日本に乗っかって独立を達成しようとするグループが対立します。国際世論もファシズムの拡大に対抗するため、インドの独立を支持して協力を仰ごうとするから、さあ大変！」

「大戦後に日本が撤退すると、情勢が動きそうですね」

「そう、インド独立問題は最終局面を迎えます」

「ガンディーはヒンドゥー教とイスラーム教の融和をなしとげ、全インドでの統一を望んでいました。イルカさん、宗教の融和って難しいと思いますか」

「そうですね。ムガル帝国では厳格なイスラーム教徒のアウラングゼーブ帝が、ヒンドゥー教徒を弾圧したって習ったけ

図4-12　インドとパキスタン、バングラデシュ

カシミール
カシミール地方をめぐって
インドとパキスタンが
激しく抗争

パキスタン

インド

バングラデシュ
1971年
バングラデシュが
パキスタンから分離独立

ど、基本的に宗教って融合するんじゃないかな。少なくとも共存はできると思います。インドでもインダス川上流域でシク教が生まれ、ヒンドゥー

とイスラーム両方の思想を合体させました。キリスト教も西欧文化にカスタマイズされたし、日本は神仏習合が進みますよね。

　ということはヒンドゥーとイスラーム、両宗教の対立はナショナリズムや自由主義の近代原理がもたらしたものなんでしょうか」

「多分に影響を受けています。イギリスは宗教の対立をあおってインドの分割統治を進めました。第二次世界大戦中も、本国は全インド゠ムスリム連盟と協調して統治体制の維持をはかります。戦後、南アジア地域が独立する段階になって、ヒンドゥー教の多いインドとイスラーム教の多いパキスタンの分離独立を主張するのです。

　1947年のインド独立法でインドとパキスタンは、分離して独立することになったんだけど、ガンディーは最後まで抵抗しました。ムスリムとの対話をつづけ、ヒンドゥー教徒に"利己的になるな、他者を 慮 るんだ"と説きました。この活動が急進派の拒否感をあおってしまい、過激なヒンドゥー教徒の青年によりガンディーは暗殺されます。最後の言葉は"おぉ、神よ"だったということです」

「ヒンドゥー教徒に、ってところが悲しくなります。この後もガンディーの意思とは別の方向に歴史は進んでいくんでしょうね」

「インドとパキスタンの抗争は激しさを増すばかりです。とくにカシミール地方の領有権で何度も大規模な戦闘が勃発しました。両国は核兵器を保有しているから、緊張感がとだえることはありません。インドではヒンドゥー至上主義のインド人民党が20世紀末に政権を握り、ムスリム排撃を掲げる過激な運動を進めます」

「ガンディーの思想に立ちかえって考える必要がありますね、お互いに」

〈著者略歴〉
山本直人／世界史の鳩（やまもと・なおと／せかいしのはと）
世界史講師。オンライン学習サービス「スタディサプリ」（リクルート）で教鞭をとるほか、四谷学院に出講している。立命館大学理工学部に進学したのちに法学部へ転部するも、なぜか満洲の馬政史を研究する。学生時代から旅行が好きで、卒業後は旅行会社に就職。世界各国を添乗して見聞を広める。その経験を活かせると考えて、世界史の予備校講師に転身した。妻と娘、三毛猫と暮らしている。趣味は料理とピアノ演奏。SNSにて世界史の魅力を伝える"世界史の鳩"として活躍中。

https://note.com/history_pigeon/

装丁：印牧真和
カバー画像：iStock.com/javarman3
イラスト：やまもとわさこ、著者
本文図版：WADE

この20人でわかる 世界史のキホン

2023年12月26日　第1版第1刷発行

著　　者　　山　本　直　人
発　行　者　　永　田　貴　之
発　行　所　　株式会社PHP研究所
東京本部　〒135-8137　江東区豊洲5-6-52
ビジネス・教養出版部　☎03-3520-9615（編集）
普及部　☎03-3520-9630（販売）
京都本部　〒601-8411　京都市南区西九条北ノ内町11
PHP INTERFACE　https://www.php.co.jp/

制作協力
組　　版　　株式会社PHPエディターズ・グループ
印　刷　所　　株　式　会　社　精　興　社
製　本　所　　株　式　会　社　大　進　堂